WILL

本多孝好

集英社文庫

CONTENTS

WILL

ACT.0
プロローグ

わかりません。

それが答えだった。

私はその答えに問い返すことすらしなかった。

「そうですか」

頷《うなず》いた十八の私は、そのときいったい何に納得したのだろう。

あるいは、納得することそのものを拒絶していたのか。

そうなのかもしれない。

受け入れられるわけがなかった。

父と母とがいた時間。それと地続きに父と母とがいない時間が突然訪れるなど、受け入れられるわけがなかった。

その事故がなぜ起こったのか。だから、そのときの私は、そんなものに答えを求めてはいなかったのだろう。そんな事故などなかった。家に帰れば父と母が私を待っている。

今、ここに横たわる父と母は、私が暮らす世界とは違う時間が流れる、どこか知らない世界から迷い込んできた、私の知らない父と母だ。

いや、とそのときの私は考えた。

迷い込んだのは私のほうか。

「帰らなきゃ」

そう呟《つぶや》いたことは覚えている。

え？

問い返すように私を見た老いた医師の顔も。その肩越しから痛ましげに私を見る中年の看護師の顔も。その横に立つ若い警察官の顔も。

「帰ります」

三人の誰にともなく告げて、私は二つの遺体に背を向けた。知らない病院の知らない霊安室。こんな世界、私は知らない。私が暮らす世界じゃない。元の世界に帰らなきゃ。父と母が私を待っている。帰らなきゃ。帰らなきゃ。

霊安室のドアの前、目の前に立ち塞がった男を私は見上げた。

「お嬢さん」

私を見つめた細身の男は、やがてゆっくりと首を振った。くせの強い白髪交じりの髪。感情を探りにくい細い目。その目尻にある小さな黒子《ほくろ》。私の頭がその男の名前を呼び出した。竹井《たけい》。私は彼を知っていた。それならここは私が知る世界なのか。私が暮らすいつもの世界なのか。

だったら尚更《なおさら》、私は逃げなきゃいけない。こんな世界からは一刻も早く逃げなきゃいけない。どこでもいい。ここじゃない世界へ。

「どいて」

押しのけようと伸ばした腕は竹井にしっかりとつかまれた。

「お嬢さん」

もう一度、竹井は繰り返した。今度は首を振ることなく、竹井は真っ直《ま》ぐ《す》に私を見つめた。

「さあ」

あやすというほど優しくもない。糾《ただ》すというほど厳しくもない。竹井はつかんだ腕をただ私に返した。そして、それと同じ口調で告げた。

「葬儀です」

葬儀？

そう。

人が死んだのだから、葬儀だ。森野《もりの》葬儀店。それがうちの家業だ。父と母とはその営みをずっと続けてきた。

そう。

葬儀だ。

体から力が抜けた。私はすとんとその場に座り込んだ。

「それはあなたの仕事でしょ」

何とか顔だけを上げて、私は竹井を仰ぎ見た。葬儀屋があるから人が死ぬわけではない。それでも両親の稼業を棚に上げて、私は物心つく前から店にいる従業員を睨《にら》みつけていた。

「ええ。それが私の仕事です」

たぶん私の思いをすべて受け止め、竹井は一つだけ頷いた。

「お嬢さんはどうされますか？」

淡々とした言葉に、父と母と自分と葬儀と竹井とが私の頭の中で初めて平面上に並んだ。その平面の世界から飛び出せる翼など、私の背にはなかった。飛び出せないのなら、行き先は一つしかなかった。

「帰ろう」

私はよろよろと立ち上がり、父と母のもとに戻った。意地悪なまでに無言を貫く二人に私は言った。

「うちに帰ろう」

「ご遺体搬送の手配をいたします。それでよろしいですね？」

問いかけた竹井を振り返ることもなく、私は頷いた。

その日、病院を出て見上げた空の色は覚えていない。けれど、そこに当たって溶けた冷たい粒の感触だけは、なぜか鮮明に今も頬に残っている。

それは、今からもう十一年も前、冷たいみぞれ混じりの雨が降る、二月の夕方だった。

ACT.1
空に描く

佐伯杏奈《さえきあんな》の言う通り、しみったれた空だった。一面を覆う雲は、太陽の姿を見せるつもりも、雨を降らせる予定もなさそうだった。一昔前ならば、突き出した長い煙突が、その空に向かって頼りなく薄い煙を上げたことだろう。けれど、最近の火葬場では煙突は短く建物の陰に隠され、煙は何重ものフィルターに濾《こ》される。どんよりとした低い雲の下には、のっぺりとした平らな屋根があるだけだった。その中ですでに命をなくした肉体が焼かれ、骨と灰とに移り変わっている。そう想像するのは難しかった。

いっそすべて燃やしてしまえばいいのに。

いつもの感想が頭に浮かんだ。焼き場では、遺族が骨を拾えるよう、適度に温度を調節しながら遺体を焼く。その遺族に対する心遣いが、いつも私にいたたまれない思いを宿す。その骨は死者の思いが形となって残ったもののように思えてしまう。いっそすべて燃やしてしまえば、死者の思いは余すところなくすべて空に吸い上げてもらえるのではないだろうか。私にはそんな風に感じられてしまう。

「そろそろ戻りますか？」

隣にいる佐伯杏奈に声をかけた。

しみったれた空だね。

そう呟《つぶや》いたきり、佐伯杏奈はもう長い間、黙って空を見上げていた。時計を見なくても、そろそろ火葬が終わる時間だということはわかった。喪主ではない佐伯杏奈がその場にいなくとも事の流れに支障はないが、それでも遅れれば骨を拾えなくなる。私の思いは別にして、どうしても形をこの世に留《とど》めるというのならば、せめてその形は死者にとって大事な人に拾って欲しかった。

「何だかね」

私の問いかけには答えず、佐伯杏奈は呟いた。

「何だか不思議な感じ。悲しくもなくて、苦しくもなくて、何にもなくて、胸の真ん中がしんとしてて」

分厚い雲から薄い雲へ。わずかに強くなった日の光に佐伯杏奈が目を細めた。

「たった一人の父親が死んだっていうのに、私には何も感じられない。怖いくらい頭が空っぽ」

「色々ありますから。感じ方には」

佐伯杏奈がゆっくりと視線を下ろし、私を見た。

「そういうもの？」

「悲しみって名前をつけたところで、そんなものは所詮、形のないものの名前です。人の胸の中には名前でくくれないものが色々あって、だからその表れ方にも色々あって、泣き叫びたいならそうすればいいですし、そうできないのなら無理にそうすることもないです」

伝え切れない言葉がもどかしかった。大事な人を失ったとき、人の中に生まれるのは感情と呼べるようなものではない。少なくとも私はそうだった。それにどんな名前をつけるのかは、人によって色々だろう。私ならば絶情と名づける。悲しみならば癒《いや》せる。けれど、それは感情を絶たれたその先にある。その人の中にありながら、その人の支配を超えた場所で、その人を支配する。ただ大きな、強い何かだ。

伝え切れない言葉の残りは、それでも佐伯杏奈に通じたようだ。

「色々なのね」と佐伯杏奈は言った。

「ええ。色々なんです」と私は頷《うなず》いた。

「すごいね」

「え？」

「森野はずっとその色々に付き合ってきたんだね。どれくらいだっけ？　その仕事」

「高校を卒業してすぐですから、もう十一年になります」

その答えに、答えた私自身が驚いていた。私はもう十一年もこの稼業を続けているのかと。

「本当、すごいと思うよ」

「すごくは、ないです」

私の呟きには答えず、佐伯杏奈はまた空を見上げた。

すごくなんてない。やり始めたことにも、やり続けたことにも、誇れるような理由など何もなかった。葬儀屋を営んでいた両親が事故で死んだのは、私が高校を卒業する間際だった。誰かに任せるのもおかしなものだから、両親の遺《のこ》した店で葬儀をした。喪主とも葬儀屋ともつかない立場で、どちらの立場にも立てないまま、私の目の前で葬儀は淡々と進み、気づいたときには終わっていた。その後の流れの中に自分自身の意思と呼べるようなものがどれほどあったのか、今となってはもう判然としない。砂時計の砂が零《こぼ》れ落ちていくような平坦《へいたん》な時間が流れ、いつしか私は両親が遺した葬儀店の社長となっていた。

いっそ雨が降ればいいのに。

佐伯杏奈の隣で、私も空を見上げた。ずっとこの稼業を続けていながら、父親を亡くした高校時代の同窓生にうまい慰めの一つも出てこない。それが私の十一年を象徴していた。

「戻りましょう」
やり切れない思いを飲み込むと、再び佐伯杏奈を促した。今度は佐伯杏奈が頷き、私たちは火葬場の建物の中に戻った。

佐伯篤弘《あつひろ》。享年、五十四。それが今回の仏様だった。葬儀の依頼の電話を受けたのは私だった。なぜそれがうちに持ち込まれたのか、最初、私は訝《いぶか》った。だいたいの人は、身近な誰かが死ぬまで葬儀屋などと付き合いはない。そしてだいたいの人は、身近な誰身近な誰かが死んだとき、その病院に紹介された葬儀屋を手配する。そうでなくとも、近年では会計の透明性を謳《うた》った大手の葬儀社もでてきている。ネットやかつて見た広告を頼りにしても、古い商店街の中にぽつんと店を構えるうちのような小さな葬儀屋に辿《たど》り着くことはない。現にうちが請け負う仕事先のほとんどは、ごく近所の人たちや、かつて葬儀を執り行った誰かからの紹介を受けた人たちだった。聞いた住所からするなら遠くはないが近所とも呼べず、誰かからの紹介だとも告げないその葬儀依頼の電話は、ほとんどあり得ないことに思えた。そもそも病院で亡くなり、遺体はすでに自宅にあるという。それならば病院から自宅まで遺体を搬送した業者がいたはずだ。他に伝《つて》がないのなら、通常、その業者に葬儀も依頼する。業者に搬送だけを頼み、葬儀は何の縁もない他の会社に改めて依頼し直すというのは、かなり稀《まれ》なケースだ。けれど、葬儀屋に葬儀を依頼している電話に、なぜうちなのですかと聞き返すわけにもいかなかった。私はおおよその状況を聞き、だいたいの段取りとそれにかかる金額を伝え、これからすぐにそちらに出向くことを伝えた。それではお願いしますと言った相手は、最後に遠慮がちに付け足した。

「佐伯って名前、覚えてないかな。佐伯杏奈。高校のとき一緒だったんだけど」

覚えていなかった。私の一瞬の沈黙に相手はそれを察したらしい。

「残っているなら、卒業アルバムを見てみて。高三のときは、三組だった。写ってるから」

佐伯杏奈は卒業アルバムの隣のクラスの写真に写っていた。そう言われればそんな顔があったような気がした。その程度の印象しか湧かなかったし、その日、実際に本人を目の前にしても、それ以上の印象が思い浮かぶことはなかった。

天寿を全《まっと》うしたとは言い難い。五十四歳という年齢は、失う側にしてみれば、理不尽なほどに若い。それでも事故や自殺という突発的な死でない限り、現代医学は失う側にわずかながらの心の準備をするくらいの時間は与えてくれる。一昔前なら三ヶ月であった余命が、今では半年であったり、一年、あるいは数年であったりするケースも珍しくない。それでどうなるわけではない。いたずらに心を乱される時間が長くなるだけだという感じ方だってあるのかもしれない。けれど、総じて言うのなら、それが失う側に少しばかりの心の余裕を与えているのも事実のようだ。

「いつごろからでしたかね。ここ十年。いや、もう少し前からかな。そう感じるようになりました」

親の代からうちで働いてくれている竹井がそう言っていた。

「最初は人間ってやつが冷たくなったのかと思ったんですよ。身内とはいえ、他人であるところの人の死に対して、人間っていう生き物が冷淡になってきたのかって。でも、そうじゃない。向き合ってみれば、悲しみは遺族の中にやっぱりちゃんとあるけれど、私どもが出向くころには、そこに二枚も三枚も皮が張られてるんですよ。傷がふさがって、もう血を流してないとでも言いますか。そんな感じです」

佐伯篤弘氏の葬儀にも涙があり、嗚咽《おえつ》があった。けれど、五十四歳というその理不尽なまでの若さを改めて考えたときにはあっけないほど、葬儀は滞りなく進んだ。火葬場での拾骨《しゅうこつ》を終え、初七日の法要も済ませると、佐伯篤弘氏の葬儀はいつしか私の中でかつてやった仕事の一つとして記憶にしまいこまれてしまっていた。

佐伯杏奈が私を訪ねてきたのは、四十九日の法要と納骨とを終えて、半月ほどが過ぎたころだった。

例年になく暖かな四月初めの昼下がり、私はいつも通り暇な店の中で自分のデスクにつき、不景気な帳簿を眺めながら、漫然とお茶をすすっていた。表の古ぼけた商店街はすべてが死に絶えた世界のようにしんとしていた。ふと気配に目を遣《や》ると、店の前のすりガラスに人影が差した。来客だろうかと見ていると、人影はいったん消えた。ただの通りすがりだったかと視線を戻しかけたとき、また人影が現れた。その小柄な人影は、中に入るべきか否《いな》か、店の前で迷っているように見えた。私は席を立ち、ガラス戸を開けた。そこには、突然開いた戸に驚いたような目を向ける佐伯杏奈がいた。

「ああ」

人影の意外な正体に私は間の抜けた声を上げた。かつての客として扱うべきか、高校の同窓生として振舞うべきかで一瞬迷い、後者として彼女がそこにいる理由などないと思い当たった。

「先だっては失礼いたしました」と私は軽く一礼をした。「何か不手際でもございましたでしょうか」

「ああ、いえ、そうではなく」

客の声でそう言ってから、佐伯杏奈は困ったように少し笑い、同窓生の声で言った。

「ちょっと近くまできたから。そういえば、森野のお店、ここだったよなって思って寄ってみたの」

い。

「そうですか」

答えた私の言葉は客に向けるものだったが、その声は同窓生に向けたものという据わりの悪いものになった。それが微《かす》かに迷惑そうな響きを宿しているように聞こえたらしい。

「あ、忙しい？」と佐伯杏奈が言った。

「ああ、いや、それは全然」と言葉も声も同窓生に向けたものにして私は言った。「お茶でも飲んでく？」

招き入れた私の後ろから、佐伯杏奈は店の中に入ってきた。応接セットなどと呼んではおこがましいが、それでもたまの来客のために店の片隅にしつらえた小振りのソファーを彼女に勧め、お茶を淹《い》れてから、私は小さなテーブルを挟んだ彼女の向かいに腰を下ろした。採用したばかりの新入社員は今日は休みだったし、もう一人の社員の竹井は、朝、顔を出したきり、どこかへと出かけていた。おそらくまたパチンコだろう。いつものことだ。仕事がいつ入ってくるかわからない業種ではあったが、長年の勘というものか。竹井が出かけた日に、仕事が舞い込むことは一度もなかった。

「少しは落ち着いた？」

かつての同窓生として向き合ってみたものの高校の思い出話など咄嗟《とっさ》に浮かばず、私はそう聞いた。

「そうだね。少しは」

佐伯杏奈は答えて、私が出したお茶をすすった。

「今日は仕事は？　休み？」

佐伯杏奈がどんな仕事をしているのかまでは聞いていなかったが、それでも葬儀の間に漏れ聞いた話によれば、彼女は進学した大学を卒業し、自宅から東京のどこかへ出勤しているはずだった。

「ああ、仕事ね」

いたずらを咎《とが》められた子供みたいな目で佐伯杏奈は私を見た。

「辞めちゃった。ついこの前」

「そう」と私は言った。

「あとの整理とか、色々あったから」

「そっか」

佐伯杏奈には姉がいたが、すでに結婚して家を出ていた。母親と二人暮らしになり、しばらくはそばについていてやろうということなのかもしれない。一般論で言うのなら、身近なものが死んだとき、周囲のものはできる限りそれまで通りの生活を続けるべきだと私は思う。不在を埋めるつもりの行為が、かえって不在を浮き立たせる。そういうこともある。人一人の存在は、周囲の人間や生前のその人自身が考えているよりずっと大きなものだ。埋めきれないその穴が、また新しい傷を作る。そういうケースを間々《まま》見てきた。けれど、そんなの、所詮は一般論だった。各々の家庭には、各々の事情と成り行きとがある。

「お母さんは?」と私は言った。

「え?」

「まだ気落ちなさってる?」

葬儀のときの喪主の顔を思い出して、私は言った。私たちの前では努めて穏やかに振舞ってはいたが、その顔は痛ましいほどに憔悴《しょうすい》していた。

「ああ、お袋様ね」と佐伯杏奈は笑った。「まだ二日に一回は泣いてる。仏壇の前で線香上げながら。年を取ったからかな。湿っぽくて参る」

故人より、確か三つ年上だったはずだ。五十七歳。まだまだ気力の衰える年でもなく、かといって何かをやり直すには少し年を取り過ぎている。本格的な老いを迎えようとしている今、伴侶を亡くしたその先を思い直すのには時間がかかるだろう。

「あ、仏壇ていえばさ、ねえ、家に仏壇があるって、何か変な感じだね」

「ああ、そうかな」と私は言った。

仏壇のない家というのは、昨今、さほど珍しくもない。ある日を境に、突然、家に仏壇がやってくれば、その存在感に戸惑う気持ちはわからないでもなかった。佐伯杏奈にとってその存在は、物よりも音だったようだ。

「チーンてさ、ああいう音。日常にはないじゃない？　目覚まし時計とか電話の呼び出しとかとは全然違うし。まったく知らない新しい打楽器が、生活の中に入ってきたみたいな」

「打楽器」

その表現がおかしくて私は笑った。

「たまにチンチン鳴らしてるよ。あの音、結構、嫌いじゃなくてさ」

佐伯杏奈も笑った。連れ合いはともかく、娘のほうは父親の死から立ち直りつつあるらしい。

私は自分の湯飲みを傾けた。佐伯杏奈はしばらく店の中を見回していた。一階の通りに面した部分は事務所になっていて、その奥が葬儀で使う祭壇やらテントやらをしまう倉庫になっている。倉庫の階段を上がった二階が私の住居だ。

「暇なの？」

奥の倉庫を見れば別だが、表の事務所には、特段、変わったものは置いてない。さして目につくものもなかったのだろう。佐伯杏奈の視線は店を一周撫《な》でただけで私のもとに戻った。

「暇は、うん、まあ、暇だね」と私は言った。「別に特別なことじゃないけど」

うちがどういう状態であろうが、人はどこかでちゃんと死んでいる。それが仕事としてうちに回ってこないだけだ。けれど佐伯杏奈にそんなことを愚痴《ぐち》ったたって始まらなかった。

「悪いことじゃないか」

「まあ、悪いことじゃないね」と私は頷いておいた。

パフーという気の抜けたラッパの音が響き、自転車がすりガラスの戸の向こうを走っていった。豆腐屋の親父《おやじ》が豆腐を売りに出かけたようだ。それをやり過ごしてから近づいてきた小さな影は、いつもの白い野良猫だろう。がりがりと戸の木枠でしばらく爪を研《と》いでから、やがてどこかへと去っていった。私が生まれたときからそこにある古い振り子時計が、渋々と午後の三時を告げた。

「ねえ、おかしなこと聞くけどさ」

くすんだ三つの鐘の音の余韻が引いてから、佐伯杏奈が口を開いた。

「うん?」

「こういう仕事長く続けてると、化けて出られることって、ある?」

「何だって?」

「だから、幽霊とかさ、そういうの、経験ある?」

「ああ。幽霊」と私は言った。「ないね」

「あいにく無信心だから。そういう人間のもとには、そういうのも出難《でにく》いんじゃないかな」

「そうなの？」

無信心という言葉をわずかに咎めるように佐伯杏奈は問い返した。

「そういうので、葬儀屋って務まるもの？」

「そうじゃなきゃ務まらないよ」

私は正直に答えた。

「たとえば、あんたのところの葬儀だったら、浄土宗でしょ？　でも、うちじゃ、浄土真宗の葬儀だって、天台宗の葬儀だって請け負う。あんまりないけど、神道だってキリスト教だって頼まれれば請け負う。信心なんか持ってたら、かえって務まらないんだよ」

森野家も代々浄土宗だったし、菩提寺《ぼだいじ》もある。けれど、私自身が信仰を持っているかと問われれば、私はきっぱり首を振る。

「ああ、そっか」と佐伯杏奈は納得したように頷いた。「そういうものか」

「そういうもの」と私は言った。

「それじゃ、宗教は全然、信じてない？」

「そう？」

微妙な質問だった。真面目《まじめ》に答えようと思えば、長い説明が必要になる。私は大雑把《おおざつぱ》に答えた。

「宗教の効能は信じてる。ある特定の状況とか、ある傾向を持った人にとかなら、宗教は有効に作用するときもある。それは悪いことじゃないとは思う。でも、自分が何か特定の神様とか仏様とかを信じているかと言われれば、何も信じてない」

ふむふむ、と無邪気な子供を装うように佐伯杏奈は頷いた。

「そういう人のところには、幽霊も出ない？」

「ひょっとしたら出ているのかもしれない。でも、死後を考えないから、私はたぶん、それを幽霊と受け取らないんだと思う。ふと誰かの影を見たように思っても錯覚か、何かを見違えたかだろうと考えるし、何かの声を聞いたとしても空耳か、そうじゃなきゃ風の音かってやり過ごしちゃうんだと思う。もうちょっとはっきりと、こう、バーンと登場してもらえればそんなこともないんだろうけど」

「バーンと？」と佐伯杏奈は笑った。

「そう。ひゅーどろどろって、効果音をつけてさ」と私も笑った。「ついでに人魂《ひとだま》の一つや二つ引き連れてきてくれれば、さすがに私だって認めるよ。腰の一つくらい抜かしてあげてもいい」

そんなことが起これればいいと思う。それがどんな恐ろしい姿だって、どんなおぞましい姿だって構いはしない。既存の宗教が唱えるどんな条理より、どんな儀式より、私はその姿に救われるだろう。覗《のぞ》き見た湯飲みの中では、茶柱が一つ、のんびりと立っていた。

「何で?」

すでに温《ぬる》くなったお茶を茶柱ごと飲み干して、私は聞いた。

「え?」

佐伯杏奈が聞き返した。

「何でそんな話。まさかあんたの前には出た?」

ハハハと何かを誤魔化《ごまか》すように声を立てて笑い、それから佐伯杏奈はため息をついた。

「うん」

ため息とともに佐伯杏奈は言った。

「出たの」

「お父さん?」

佐伯杏奈は頷いて、またハハハと笑った。

「おかしいよね」

条理としてはおかしいということになるのだろう。少なくとも現代人が持つ常識とやらを前提にするのなら、それはおかしい。けれど現象として言うのならそれは、決して珍しいものではなかった。故人を見た。故人の声を聞いた。故人の気配を確かに感じた。

そういう話を聞いたとき、いつも感じる思いが私の頭に浮かんだ。

そうか、出たのか、と。

いいな、と。

「たまに聞くよ」と私は言い、お茶を淹れ直すために席を立った。

「聞くって？」

佐伯杏奈が声を上げた。

「そういう話。そうしょっちゅうでもないけど、亡くなった仏様が出るって話は、別に珍しいことじゃない」

「そうなの？」

「人が一人死んだんだ。それくらいのことはあってもいい」

「いい、のかな？」

ボタンを押したが、古いポットはすかすかと音を立てるだけだった。

私は水道の水をやかんに入れて、ガスコンロにかけた。

「いいんだよ」

「気に病むほどのことじゃない。別に悪さをするわけじゃないだろう？　生きている人間より、よっぽどタチはいいさ」

そりゃまあ、悪さってことはないけど……。

もごもごと佐伯杏奈は言った。

「でもお袋様がね」

「お母さん？」

「参っちゃってて。放っておいたら髪を下ろして出家しちゃいそう」

「したけりゃするさ」

「もう。他人事《ひとごと》だと思って」

だって他人事じゃないかと冷淡な思いが頭をかすめてから、そうでもないかと思い直した。沸いたお湯を急須《きゅうす》に入れ、私は佐伯杏奈の向かいのソファーに戻った。

「話しなよ」

湯飲みにお茶を注ぎながら、私は言った。

「え？」

「お父さんの、その、幽霊とやらの話」

「ああ、いいよ、いいよ。ちょっとね、外で誰かに愚痴りたかっただけ。お袋様と一緒にいると、何か、こっちまで気が滅入《めい》っちゃうから」

「ここまで話したんだ。ついでだろう？」

「森野って」と湯飲みに手を伸ばし、ちょっと考えるような仕草をしながら佐伯杏奈は言った。「そんなに親切な人だったっけ?」

「別に親切じゃない」と私は言った。「でも、死者が出歩いているっていうのなら、放ってはおけない」

「どうして?」

「私の仕事は?」

「葬儀屋」

「そう。死者を眠らせるのが私の仕事だよ」

考える間を取るように湯飲みに口をつけた佐伯杏奈は、湯飲みをテーブルに戻してから顔を上げ、にっこりと笑った。

「そうだね。森野って、そういう人だった」

それを見たのは、もうじき三つになる彼女の甥《おい》っ子だったという。佐伯杏奈の姉の息子だ。気落ちする母親を気遣って、彼女の姉は旦那と息子を連れ、ちょくちょく実家に顔を出していた。その土曜日も、姉の家族とともに彼女と彼女の母親は夜の食卓を囲んだ。みんなが席につき、食事を始めようとしたときだ。甥っ子が言った。

「おじいちゃん、どこ?」

誰もが一瞬、言葉を失った。

「おじいちゃんは死んだのよ」と彼女の姉が言った。「この前、お葬式、よっちゃんも出たでしょう？　おじいちゃんは死んじゃったの。でもね、おじいちゃんはちゃんとよっちゃんのことを見ているからね」

甥は不思議そうに自分の母親の顔を見た。何か言いたそうだったが、子供なりにその場の空気を読んで、それ以上は言わなかった。少なくとも佐伯杏奈にはそんな風に感じられたという。

「そのあと、姉にお風呂に入るよって言われたんだけど、甥は、おじいちゃんと一緒に入るって言うのよ。いつもうちにくると、親父殿と一緒に入ってたから。それじゃ、今日は、お姉ちゃんと入ろうかって、私が甥と一緒にお風呂に入った」

そこで甥が囁《ささや》いた。

「よっちゃん、おじいちゃん、見た」

仏壇の写真のことを言っているのだろうと思った。

「そう」と佐伯杏奈は応じた。

先ほどと違い、その言葉を咎められなかったことで、甥は得意げに続けた。

「机の下」と甥は言い、聞いた。「かくれんぼ？」

佐伯杏奈には、それが何のことだかわからなかった。

よっちゃん、おじいちゃん、見た、机の下、かくれんぼ。

単語をつなぎ合わせ、佐伯杏奈もようやくその意味を悟った。おじいちゃんはかくれんぼをしていて、甥はそのおじいちゃんを見つけたと言っているのだと。食事を始めようとしていた、あのとき、食卓の下に。

「お湯が急に水になったみたいだった」

佐伯杏奈は両手で互いの腕をさすった。

「怒るわけにもいかないじゃない？　それで、お母さんたちには内緒よって」

よっちゃん、見た。

一番最初に見つけたのは自分だと主張するように、甥っ子は口を尖《とが》らせたそうだ。

「私が一番を横取りすると思ったんじゃないかな」

お風呂を出て、佐伯杏奈は食卓の下を覗いてみた。

「そんなわけないけど、何かが落ちてたのかと思ったのよ。親父殿を思わせるような何かが。でも、もちろん何もなかった」

葬儀から、もう時間も経《た》っている。佐伯杏奈や母親がいくらずぼらでも、食卓の下に何かが落ちていれば、さすがに気がついているだろう。

叔母《おば》の言いつけをしばらくは守っていたが、眠る時間になると甥っ子はまたごね始めた。

おじいちゃんと一緒に寝る。

「おじいちゃんはもういないんだって、いくら言い聞かせても駄目なの。おじいちゃんはいる、見たって、ずっと駄々をこねられて。それで、つい」

佐伯杏奈は目を伏せた。

「つい？」

私は聞いた。佐伯杏奈は黙って虚空《こくう》を手で払った。

「あら」と私は言った。

「そんなに強くじゃなかったんだけど、私に初めて叩《たた》かれたもんだから、びっくりしたみたいで。もう、それはそれはぎゃーぎゃーと」

「まあ、しょうがないか」と私は言った。「お母さんだっていたんだろうし」

憔悴している母親の前で、いつまでも甥っ子が「おじいちゃん」と叫んでいるのでは、佐伯杏奈もいたたまれなかったのだろう。けれど、佐伯杏奈は首を振った。

「お袋様は関係ない。私がね、腹が立ったの」

落ち着いたように見えても、佐伯杏奈だって、まだ父親の死を消化し切れていたわけではないということか。それも無理はない。

「しょうがない」と私はまた言った。「まだみんな落ち着いていないんだよ。その甥っ子も含めてさ。そのうち落ち着くよ」

「そうじゃなくて」

佐伯杏奈は言った。

「私は信じたのよ。甥っ子の言い分をさ」

「信じた？」

「親父殿が出たっていうその話を、私は信じたの」

「え？」

「だって、嘘《うそ》つく理由がないじゃない。っていうか、嘘つく頭なんてないよ。二歳でそんな嘘をわざわざこしらえるほど、うちの甥は賢い子じゃない。だから、甥は見たんだよ。本当に」

そう思ったらね、と佐伯杏奈は笑った。

「無茶苦茶、腹が立ったのよ。何で孫なのよって。母や姉なら、まだ許すわよ。でも、何でそれが孫なのよ。孫の前に出るくらいなら、私の前に出なさいよって。だから、私は、ただ」

ただ嫉妬したのよ、と佐伯杏奈は言った。

嫉妬か、と私は思った。

「ああ、何ていうか、それ」と私は言った。

「うん？」

「ちょっとわかる」

「そう？」

「うん」

私と佐伯杏奈は少しだけ笑みを交わした。

「まあ、その日はそれで済んだんだけど、それ以来ね、お袋様がどうも落ち着かなくて。いつもきょろきょろして、ときどき、今、何か言ったとか聞くもんだから、何も言っていないって答えると、そう、誰かの声が聞こえた気がしたけど、って。放っておいたら、おかしくなっちゃいそう」

「旅行にでも連れ出したら？」と私は言った。「気分転換にさ。いっそ海外にでも」

「とてもとても」と佐伯杏奈は首を振った。

「そう」と私は頷いた。「そうだよな」

人の死というのは軽い出来事ではない。その人がもういないこと。それでも自分がどうしようもなく生きていること。それが生活に馴染《なじ》むまでには長い時間が必要だ。とても長い時間が。気分転換などというのは、その後の話だ。

「気にするほどのことではないと思うけど、こっちでも少し調べてみるよ」と私は言った。

「調べるって、どうやって？」と佐伯杏奈は言った。「っていうか、何を調べるのよ？」

「お父さんのことはあんたのほうが詳しいだろうけど、死者のことは私のほうが詳しい」と私は言った。

佐伯杏奈は少し眩《まぶ》しそうに私を見た。

「そうか。森野ってそういう人だったんだ」

佐伯杏奈は何かに納得したように頷いた。何に納得したのかは聞きそびれた。

それは、ある種の話芸だった。最初に張りのある声でその世界に誘い込み、次に抑揚と強弱をつけて聞く人たちの波長を整え、きちんと整列させたところで、その波長を落ち着かせ、落ち着かせたところで、別の世界へそっと連れて行く。今、読経《どきょう》は眠気を誘うような一定のトーンを保ち、畳敷きの会場の中に柔らかに響いていた。読経が始まったころには漏れていた啜《すす》り泣きが、今はもう聞こえない。参列者のすべてが、和尚《おしょう》の読経に連れられて、こちら側ではないどこか知らぬ世界をそっと覗き込みに出かけているように見えた。

そのままのトーンで読経を続けたあと、和尚は静かに鈴《りん》を鳴らし、手を合わせた。参列者のすべてがそれにならう。最後に口の中に飲み込むように経を唱え終えると、和尚はこちらに向き直り、参列者たちに頭を下げた。参列者たちも一斉に頭を下げ返す。

「立花慎三《たちばなしんぞう》様は、今、あちらの世界に旅立たれました」

厳密に言うのなら、死者は四十九日をかけて浄土へ旅立つ。それに頓着する風もなく和尚は続けた。

「今頃はあちらの世界で、のんびりと碁を打ってらっしゃるのかもしれません」

碁？

私は和尚の顔を見た。喪主である妻も、その隣にいた長男も少し驚いたように和尚の顔を見返していた。

「音が聞こえました」

和尚は涼やかに言った。

「ぱちり、と。あれは碁を打つ音ではなかったですかな。将棋でしょうか？」

「いえ。碁でしょう」と長男が驚いた顔のまま言った。「碁が趣味でした。伯父から習ったと聞いてます。いつも伯父と打っていたと」

「では、その伯父様ももう亡くなっておられますね？」

長男が頷いた。

道理で道理で、と和尚は頷いた。

「どこか和やかな雰囲気でしたから。碁の勝負をしているというよりは、碁を楽しんでいるような。碁を打つその時間を楽しんでいるような雰囲気でした。きっとお兄様と打たれているのでしょう」

長男の視線が和尚の肩越し、位牌《いはい》のほうへと飛んだ。

「いつか勝ちたいと、それが口癖でしたから」

長男が目を細めた。

「伯父が死んだあとも、いつもそう言っていました。あっちへ行ったら、必ず兄を負かしてやるんだと」

「なるほど。早速、そうなされていたわけですな」と和尚が微笑《ほほえ》んだ。

死は終わりではない。それがこの和尚の口癖だった。それは宗教的な教えの話ではない。この和尚、個人の信念だ。死を終わりにしてはいけない。死は新たな始まりでなくてはならない。死者にとってではない。死者の周りにいたものにとって。死は旅立つものとの別れに過ぎない。やがて自分も歩くその旅路を先に行っただけのことだ。そうでなくては、人は生きられない。それがこの和尚の信念だった。そのために和尚は策を弄《ろう》する。読経を話芸として磨き、小さなトリックを仕掛けて死者を語る。その和尚のやり方が、私は決して嫌いではなかった。

最後に一通り、坊主らしい言葉を述べると、和尚は席を立った。参列者たちが手を合わせてそれを見送る。すれ違いざま私に視線を向け、和尚は小さく頷いた。

あとはうまくおやんなさい。

そういう視線だった。私はそれに目だけで頷き返した。

和尚が出て行くと、私は参列者たちに声をかけた。

「あちらに食膳をご用意いたしております。どうぞ仏様の思い出話などなさってくださ
い」

参列者たちが席を立ち、竹井に先導されて部屋を出て行った。喪主と長男とその妻子だけがその場に残った。通夜、葬儀、火葬、繰り上げられた初七日の法要と続き、残るのが精進落《しょうじんお》としだけとなって、張っていた気が抜けたのかもしれない。年老いた喪主の小さな肩が少し落ちた。その母親をいたわるように息子が背中をさすった。ありがとうね、と言った喪主の前に六つか七つくらいの孫が座り、大丈夫、と聞くようにちょこんと首をかしげて祖母の顔を覗き込んだ。あっくん、駄目よ、と長男の嫁が息子をたしなめると、いいんだよ、と喪主は孫の頭を撫でた。故人の生前から長男の家族と同居しているという。仲の良い家族だったのだろう。依頼元は春日《かすが》総合病院というこの地域の基幹病院だった。いつも使っている葬儀屋の手配がつかず、うちに依頼があった。

「お食事は二時間ほどでよろしいでしょうか？」

家族の様子が少し落ち着くのを待って、私は声をかけた。

「ええ、二時間もあれば」

なあ、と喪主の息子が母親を見た。喪主が私に頷き返した。

「長引くようならば、そのように手配します。どうぞお気の済むまでお使いください。

もちろん、延長の料金などは頂戴しません。お食事の終わったところで散会となります。お車の手配もこちらでいたしますので、必要なときにはお声をかけてください。別室にて控えております」

喪主の息子が頷き、妻子を連れて席を立った。年老いた故人の妻だけがその場に残った。

「ありがとうございました。つつがなく終わりそうです」

頭を下げた彼女が、私に視線を上げ、少しためらってから口を開いた。

「本当のことを言うと、最初はやめようって話してたんです。別の葬儀屋さんにしようって。あんまりにもお若かったから」

「そうでしたか」

十八のときからやっている稼業だ。そう言われたことは一度や二度ではない。現実にそれを理由に断られたことだって幾度かある。

「でも、お願いしてよかったですわ。いいお葬式でした」

祭壇に目を向けてから、いいお葬式って変ですかね、と彼女はゆったりと微笑んだ。

「いえ。ちっとも」

私は首を振った。取り仕切った私が言うのもおかしいが、それは確かにいいお葬式だった。故人を失った悲しみと、それでもその先を歩いていこうという互いへの慈《いつく》しみが感じられた。故人の人徳だろう。

「私のようなものが言うべきことではないですが」と私は言った。「良い方だったのだろうと思います」

「ええ。いい人でした」

喪主は祭壇を見遣《みや》り、その遺影に向けるようにゆったりと微笑んだ。透明な、いい笑顔だった。

それを不謹慎だとは思わなかった。誰の視線も気にすることはない。笑えるのなら、笑えばいいのだ。たとえ誰を失ったにしても、人は一生泣き続けたまま暮らしていくわけにはいかない。そんな人生は辛過《つらす》ぎる。故人だって、そんなことは、きっと望んでいない。

縁者らしき人がやってきて、彼女に声をかけた。彼女が立ち上がり、私は頭を下げて彼女を見送った。


かつては山から村を見下ろしていたのだろう。英徳寺《えいとくじ》は長く急な坂を登ったそのてっぺんにある。今ではその八分の辺りまで住宅が押し寄せてはいたが、寺の敷地に入れば、どこか下界とは違う風が吹いているように感じられた。和尚が出してくれた温い白湯《さゆ》を手に、私は本堂につなげて建てられた庫裏《くり》の広縁に腰を下ろし、境内を眺めた。古く高い桜の木が薄桃色の花弁を風に舞わせていた。

「感謝されたよ。いいお葬式だったって」

「それはよかったですな」と和尚は言った。

「どうしてわかった？」と私は聞いた。

「何がです？」

「碁」

「読経の途中で、こう、不意に、ぱちりと音が聞こえましてね」と和尚は碁を打つ仕草をしながら笑った。

「嘘つけ」と私も笑った。

「そんな話をしていたんですよ。葬儀会場で葬儀を待っている人たちが。碁会所の仲間だったらしいですよ。それで、これは使えるな、と思いましてね」

「ああ」と私は頷いた。

　この和尚がときどき使う手だ。呼ばれた時間よりもずっと早く葬儀場に現れ、さり気なく情報収集をする。うまく情報を収集できないときには、死者の縁者のような素振りをして、自分から声をかけてみることもあるらしい。その後、葬儀に現れても、袈裟《けさ》を着たその人が、先ほど自分に声をかけてきた黒眼鏡《くろめがね》にハンチング帽の爺《じい》さんだと気づく人はいない。

「偽物の占い師みたいなもんだな」と私は言った。

「人聞きの悪いことを言いなさんな」と和尚は笑った。「顧客サービスですよ」

それこそ、およそ坊主の言う台詞《せりふ》ではない。

「そういや、一つ、ミスしたな」

「何です？」

「葬儀のとき。息子さんはオジと言ったんだ。故人の兄か弟かはわからない。それなのに、それを受けて、お兄様と言ってた」

そのときの記憶を思い起こすように目玉をくるりと回すと、和尚は自分のはげ頭をぺちりと叩いた。

「まだまだ修行が足りませんな」

「ペテン師は和尚になるより難しいか」

私は笑った。和尚の笑い声がそれに応じた。薄桃色の花弁が空を泳ぎ、私の手にした湯飲みの中にひらりと舞い降りた。

「ご両親には？」

「うん。さっき挨拶した」

森野家の菩提寺だ。私の両親も、この寺の墓所に眠っている。

「十一年と」

「二ヶ月ってとこかな」と私は言った。

「早いものですな」

桜の木に目をやって、和尚は言った。

「早いね」と私は頷いた。「まったく、早いや」

「散る桜」

……残る桜も散る桜。

古い句を詠んで、和尚は笑った。

「どうも俗気というのは中々に、これが困ったものです」

「俗かな」

「俗でしょう」と和尚は頷き、視線を私に戻した。「それで、今日は？」

「うん？」

「先だっての葬儀のことではないでしょう？」

「ああ、うん。そうだった」と私は言った。「その前のやつ。覚えてるか？」

近年では菩提寺のある依頼人のほうが稀だ。宗派が合う葬儀のときには、だいたいこの和尚に依頼していた。

「佐伯篤弘さんとおっしゃいましたかな」

「そう。それ」

「どうかなさいましたか？」

「その佐伯篤弘の幽霊が出るらしい」

「それはお気の毒に」

呟いて、和尚は合掌した。気の毒なのが、死者なのか遺族なのか、その口ぶりからはわからなかった。

「何か知らないかと思ってな」

「何かとは？」

「死者を眠らせる呪文《じゆもん》」

「そんなものはありませんよ」と和尚は笑った。

「じゃあ、私が考えるよ。知ってるだけを教えてくれ」

記憶を探るように和尚はまた桜の木に目を向けた。

「佐伯篤弘。享年、五十四。生前は船舶会社で部長を務めてらした。奥様は専業主婦ですね。娘が二人。長女はすでに嫁《とつ》いでいて、二歳の孫が一人。長女の連れ合いは、光学機器メーカーの技術者ですな。次女は現在、大手電力会社の子会社で事務をなさっている」

「それはもう退職したらしい」

「ああ、そうでしたか。死因は肝臓癌《がん》。気づいたときにはすでに転移があったようで、闘病生活はそれほど長くはなかったようですね。水彩画を描くのが趣味の、物静かな方だと聞きました。病室でも、痛みを顔に出す風もなく、絵を描いていらしたそうです」

「他には？」

「さて」と和尚は首をひねった。「保険金が五千万だとか六千万だとかいう話も聞き込みましたが、これはどうでしょう。いささか当て推量の話のようです。あとは、ああ、喪主の前の旦那さんはこないのかとか、そんな話もありましたね」

「前の旦那さん？」と私は声を上げた。「何だ、それ？」

「喪主は、一度結婚して離婚し、故人とは再婚でした。ご存知ない？」

「けれど、森野さんは、確か次女の方と高校の同窓生だったのでは？」

「初耳だよ」

「そうだけど、それほど親しくなかったから」

「ほう」と和尚は言った。

「何だ？」

「ああ、いえいえ。まあ、そういうこともあるのでしょうが」

「何だよ？」

「さほど親しくなかった高校の同窓生に父親の葬儀を頼むものでしょうかな。特に親しかったというのならともかく、さほど親しくない人に頼むくらいだったら、私なら、まったく知らない人のほうが気が楽でしょうが」

言われてみれば、そんな気もした。けれど、なぜ佐伯杏奈がうちに葬儀を持ち込んだのかは、この際、あまり関係ないだろう。

「他には？」

「親族の方の素性《すじょう》などは一通り聞きましたが」

「ああ、それはいい。たぶん、関係ない」

「でしたら、それくらいですね」

「そうか」

「お役に立てませんで」

「いいよ。何とかしてみる」

「森野さん」

白湯の礼を言って立ち上がった私に、和尚が声をかけた。私は振り返った。和尚はその職業にふさわしい澄んだ目で私を見ていた。

「無理に眠らせることはないのですよ」

「坊主の台詞じゃないな」と私は言った。

「坊主の台詞ですよ」と和尚は応じた。「修行を重ねた僧だというのならまだしも、俗世の人間に簡単に成仏されては、坊主の立つ瀬がありません」

「そういう考え方もあるか」と私は言った。

「喜びも楽しみも存分に味わってこその俗。その裏返しの辛さも悲しみも受け止めてこその俗。ならば迷える魂もさ迷える幽霊もあるがままに引き受ければいい。それが俗世というものです。無理に眠らせることなどないのですよ」

「坊主はそれで立ち行けても、葬儀屋はそれじゃ立ち行かないんでね。あそこで葬儀をすると死者が成仏できずに幽霊になるだなんて噂《うわさ》が立ったら、こっちは食いっぱぐれる」

「そういうものですかな」と和尚は笑った。

「そういうものなのですよ」と私は言って、寺をあとにした。

　確かに特殊な仕事ではある。けれども、こんなご時世だ。曲がりなりにも正社員募集と広告を打てば、それなりに応募者は集まるだろう。特段、優秀な人間でなくてもいい。真面目で、実直で、できれば無口で、あとは風体《ふうてい》さえ普通であればそれでいいのだ。十人もくれば、その中に一人くらいはそんな人間がいるだろう。私はそう高をくくっていた。甘かった。募集広告を受けて、面接にやってきたのは、五人だけだった。そのうちの二人は、目の前に座る二人のうち、社長なのは年かさの男ではなく、その横に座っているまだ二十代の女だと知ると、こちらが連絡をする前に丁重な断りの電話を入れてきた。残りは三人。そのうちの一人はまだ二十歳そこそこの女の子だった。

こういうところも経験しておいたほうがいいと思いまして。

応募動機を尋ねた私におっとりと答えた彼女は、控えめな笑みを浮かべながら、その割にはしげしげと無遠慮に店内を見回した。

お給料の額より、他では得られない経験ができるところをと、父にもそう言われましたし。ええ、理想的な職場ですわ。

一人は五十代半ばの男性だった。

死体ってやつが、どうやら私は好きなようで。

かつては警備員だったというその男は、仕事で間近に見ることになった自殺体と事故死体の様子を事細かに喋《しゃべ》ってみせた。

いや、警備員ていったって、みんながみんなそんなに死体を見るわけじゃないですよ。あ、そう考えると、私が死体を好きなのではなく、死体が私を好きなんですかね。

もう一人は私と同年輩の男だった。

だって、茶パツもピアスも禁止でしょう?

長く茶色い髪をかき上げた彼の耳には銀色のピアスがあった。

こういうところに就職すれば、吹っ切れるかと思って。髪も切って、ピアスも外して。あ、俺、バンドやってるんすよ。でも、もういい年だし、社会復帰ってやつをしようかと思ってるんすよね。

　要するに、お嬢様と変態と馬鹿だった。そこでなした自分の選択を、今だって悔やむことはない。選択を悔やむことはないが、選択肢そのものの数は、できればもう少し増やしておいて欲しかった。

　最近になってインディーズからメジャーデビューしたというバンドをボロクソにこき下ろす桑田《くわた》を見ながら、私はそっとため息をついた。仕事をしろと言おうにも、桑田の手元に仕事などなかった。仕事の邪魔をするなと言おうにも、私の手元にだって仕事などなかった。今日だって、どこかで誰かが死んでいるのだろうが、それが仕事となって森野葬儀店に持ち込まれる気配はなかった。葬儀屋の仕事の大半は待つことだ。わかっていても、その時間分の給料まで払わなければいけない私にしてみれば、早まったかという思いにもとらわれる。いざ仕事が舞い込めば、私と竹井の二人でさばき切れるわけもない。仕事がきた時点で、すでに辞めたかつての従業員たちに連絡をし、アルバイトとして手伝ってもらっているが、そこはやはりアルバイトだ。時給だって安いし、またきてもらわなければこちらも困る。一言文句を言いたいような言動があっても、よほどのことでない限り飲み込まなければならない。せめてもう一人正社員をと思って雇い入れたのだが、これほどお喋りな男だとは思わなかった。

　かといって、お嬢様か変態かってわけにもいかなかったさ。

私が自分を慰めながらもう一度そっとため息をついたとき、私のデスクの電話が鳴った。ディスプレイにヒョウジケンガイの文字が浮かんでいた。私は今の時間に八時間を足し、今日の日付から一日を引いた。四月十日の午後十一時。昨日見た細い月を思い起こした。同じ月が、今、電話の向こうにも浮かんでいるのだろうか。今日一日、あいつは何をして過ごしたのだろう。

「桑田。ちょっと外に出てこい」

「外？　外って？」

髪に手をやりかけてから、それがもうないことに気づいたように、桑田は短く髪を刈り込んだ頭に手をやった。

「ああ、ここ。行って挨拶してこい」

私はいつも使っている仕出し料理の店の名刺を桑田に渡した。話し好きという点で、そこの社長は桑田といい勝負のはずだ。

「今度、うちに就職したって、社長に挨拶してくればそれでいい。あ、一応、携帯はちゃんと持っていけ」

私は受話器を取りながら早口に言った。

「あ、ええ、はあ」

不審そうな顔をしながらも、桑田は、それじゃ行ってきます、と言って、店を出て行った。その後ろ姿がすりガラスの向こうに消えるのを待って、私は受話器に耳を当てた。

「もしもし」

「やあ」

相手は言った。いつもの気軽な一言だった。それだけで胸が詰まった。その息遣いまでが聞こえるようだった。

「こんばんは」と私は応じた。

「調子はどう?」

「アイム、ファイン、サンキュウ」と私は言った。「アンジュー?」

「変わらないよ」と神田《かんだ》は笑いながら答えた。

特に用事などないことはわかっていた。月に一、二度ほどのペースで、神田は電話をくれる。私と同じ年に、同じ商店街に生まれた文房具屋の倅《せがれ》で、いわゆる幼馴染《おさななじみ》だ。同じような環境で育ち、高校まで同じ学校に通い、食ってきたものだって大して変わらなかったはずのその幼馴染と私は、十八から違う道を歩き始めた。私は親の遺した葬儀店を継ぎ、そのときとさして変わらない今を過ごしている。神田は私が行くことなど及びもつかないような大学に進み、七年前にそこを卒業したあと、今はアメリカに暮らしている。

「たまには家にも電話してやれよ」と私は言った。「この前、おばさんに会ったぞ。電話一本かけてこないって、ぼやいてた」

「メールはしてるんだけどな」と神田は言った。

「メールなんかじゃ、細かいアヤは伝わらないだろ?」と私は言った。「ちゃんと電話もしろ」

「そうするよ」と神田は応じて、聞いた。「仕事、忙しい?」

「自慢じゃないが暇だ」と私は言った。「結構、当てにしてるんだけどな。うちの商店街の連中、どいつもこいつもしぶとくて困る」

「そう」

呟いた神田は何を思い出したのだろう。少しだけ笑った。

「森野と話していると、いつも帰りたくなって困るよ」

帰ってくればいい。そう言いたくて、言えない。神田は、それを待っているのだろうか。私がそう言ったとして、神田はどんな答えを用意しているのだろう。それともそれは他愛《たわい》のない、ただの世間話なのか。

神田と話しているといつもこうだ。やり取りするすべての言葉が綱渡りのような危うい会話であるようにも思えるし、それが独りよがりのようにも思える。

「やめとけ。えらい不景気だ。帰ってきたって、仕事なんてないぞ」

私は言って、話題を変えた。

「そういえば、佐伯杏奈って、覚えているか？　同じ高校の」

「佐伯杏奈。ああ。何となくだけど。クラスは一緒になったことはないけど、図書館で顔を合わせた覚えがあるな。何だか、ひどく窮屈そうな子だろ？」と神田は言った。

「うろ覚えでも覚えているだけマシだ。私は覚えてもいなかった」

私が言うと、神田は笑った。

「森野らしいや」

「そりゃどうも」

「その佐伯杏奈がどうしたって？」

「親父さんが亡くなったんだ。うちで葬儀をやった」

「そう。まだ若いだろうにね」

「ああ」と私は言った。「まだ若いからかな。うまく死ねずにいるらしい」

「え？」

「出たらしいんだよ。その親父さんの幽霊が」

「幽霊ね」と神田は言った。

「ああ」

「どうするの、それ？」と神田は言った。

「死者を眠らせるのが私の仕事だよ」と私は応じた。

そう、と神田は言った。

「それが終わったら、こっちにこないか？」

一瞬答えに詰まった私に、神田は慌てたように言った。

「たまには休みを取って遊びにこいよ。案内する」

写真で見たアメリカの西海岸の情景が浮かんだ。坂の多い町だという。治安は悪くない。直行便は飛んでいないが、そこまでわずか十数時間。そこを幼馴染と昔みたいに意味のない会話を交わしながら、ぼんやり散歩できたらどんなにいいだろう。店のことも、死者のことも忘れて。けれど、彼はもう幼馴染ではなかった。ただの幼馴染ではなかった。


神田は、大学の卒業単位を取ると、その半年後に交換留学生としてアメリカに渡り、そこの大学で過ごした。二年後に戻ってきた神田は、大手の出版社に入社した。退職したのは二年後だった。勤めていた会社と、フリーのエージェントとして契約を結ぶと、再びアメリカに戻っていった。今はアメリカの出版物を翻訳し、それを元の会社で出版することで生計を立てている。神田が翻訳した本は、大きな書店へ行けばすでに何冊か手にすることができる。起業家のサクセスストーリーや経営論、私には日本語でも理解できないような理工系の専門書もあった。その何冊かは私の部屋の本棚にもある。それを手にするたび、私は神田が日本にいた二年間を思い起こす。台風みたいな男だと思う。台風みたいな男と過ごした慌《あわただ》しく濃密なあの二年を、なければよかったと思う私もいて、大事に思う私もいた。そのどちらも本当の私で、だから私は、折に触れて差し伸べてくれる神田の手を、握れもせず、払いのけることもできなかった。

「零細《れいさい》企業の社長はね、そう簡単に休みは取れないんだよ」

「そう」と神田は言った。「気が向いたときでいいよ。いつでもいいんだ」

「まあ、いつかな」

「ああ。待ってるよ」

指先が無意識に動いた。唇に当たったところで、私自身がその動きに気づいた。

六年半前、最初にアメリカへ向かう神田を見送った空港。私の唇は求められたのか、求めたのか。どちらにしても、それは私にとって別れの挨拶だった。そのはずだった。けれど、神田にとってそれは約束だった。

四年半前に神田が帰国すると、神田と私は幼馴染の関係のその先に急速に踏み込んでいった。雨上がりの急流に落ちた葉っぱのように、私はその変化にただ身を委ねた。

瞬《またた》く間に二年が過ぎ、そして二年半前、アメリカに再び戻るその前に、神田は私を誘った。アメリカにきてくれないかと。店のことがあるだろうから、いつでもいい。店を畳むなり譲るなりして、それが落ち着いてからでいい。一緒に暮らそうと。

少し照れながら、それでも真っ直《ま》ぐ《す》に私を見つめて言ってくれたその顔は今でもはっきりと思い出せる。そのときの自分の胸の鼓動も。呼吸ができなくなるほどの息苦しさも。

嬉《うれ》しかった。涙が出るくらい嬉しかった。けれど私は行けなかった。冷たい言葉でその申し出を撥《は》ね除《の》けた。

あのとき以来、神田の態度は変わらない。いつでも私を受け入れるつもりでいてくれて、それを言葉にも出してくれる。動けない私を、せかしもしないし、なじりもしない。それを物足りなく思う私もいて、それにホッとしている私もいた。今のままでいい。今はそう思う。けれど、神田がそれでいいと思っているのかどうかはわからなかったし、それを置いておくにしたって、いつまでも今のままでいられるわけがなかった。今という頼りない時間は、あっけないほど簡単に後ろに流れ去っていく。

「それじゃ」

しばらくの世間話のあと、神田は言った。

「うん」と私は頷いた。

一拍置いていつもの最後の言葉が聞こえてきた。

「テイク、ケア」

「サンキュウ」

電話が切れ、私も受話器を置いた。

材質は紫檀《したん》だろうか。欄間や障子の様子からすれば、おそらく二十万そこそこ。良心的な店なら、もう二割ほど安いかもしれない。私は真新しい仏壇の前に正座し、佐伯杏奈が打楽器と言っていた鈴を鳴らした。チーンと澄んだ音がして、私は手を合わせた。

「お母さんは？」

合掌を解いて、私は背後にいた佐伯杏奈を振り返った。

「書道教室」

和室と続きになっているリビングへと私を促しながら、佐伯杏奈は言った。

「近くのカルチャースクール。何でもいいからやれって、私が無理やり押し込んだ」

「そう」

勧められた椅子に座る前に、私は食卓の下を覗き込んだ。もちろん、故人がそんなところにぽつねんと正座しているわけはなかった。けれど、そう期待していた自分が、確かにいた。

「そう、そこ」と紅茶を出しながら、佐伯杏奈が笑った。「甥っ子が見たって言ってたのは、このテーブルの下」

「あのあと、甥っ子は？」と私は聞いた。「また見たとか言ってた？」

「あれっきり」と彼女は言った。「でも、まだ見えているのかどうかは、わからない。私に叩かれたのがかなり応えたみたい。姉にもかなりきつく言われたみたいだし。ひょっとしたらまだ見えているけれど、何も言わないだけかもしれない」

「そう」と私は言った。

その二歳の男の子は本当に何かを見たのかもしれないし、ただ単に何かを見間違えただけなのかもしれない。けれど、それはこの際、問題ではない。問題なのは、それに動揺している佐伯杏奈とその母親のほうだ。死者は一人で起きたりはしない。生き残ったものが死者を起こすのだ。

「何か心当たりはある？」

香りの強い紅茶に一口、口をつけてから私は聞いた。

「え？」

「お父さんが、たとえば死に切れずにいるのだとしたら、その理由っていうか原因みたいなもの、思い当たらない？」

「それ、ちょっと考えてみたのよね」と佐伯杏奈は笑った。「そりゃまだ若かったし、思い残すこともいっぱいあっただろうけど、でも化けて出てくるほど未練があったようには思えないのよね。何ていうか、淡泊な人だったから」

「淡泊？」

「ああ、どういえばいいのかな。冷淡っていうほど、冷たい人じゃないんだけど」

あれは淡泊としか言いようがないな、と佐伯杏奈は呟いた。

「子供の私の目から見ても、何だか、つかまえ所のない人だった。別に何ってことじゃないのよ。授業参観だって運動会だって、ちゃんときてくれるし、悩み事を相談すれば、きちんと話を聞いて、それなりのアドバイスはしてくれたし」

だけど、ああ、何て言えばいいのかな、と佐伯杏奈は言った。

「ほら、これでいいだろ、って、そういう感じ。私は親としての役目をちゃんと果たしてるだろ、って、そう言われているような、うん、そうだね。そういう感じだね」

わかる？

そう問いかけるように佐伯杏奈は私の顔を見た。私は頷いた。

「とすると、思い残すようなことは何も思い当たらない？」

「そうだね。死んだら死んだで、さっさと成仏しそうな感じ」

その辺りか、と私は思った。冷淡とは言わないまでも、佐伯篤弘氏は、べたべたとした愛情を子供に示す父親ではなかった。抑制された愛情に、子供は抑制した愛情で応えた。伝え切れなかった残りの部分が未練となって、佐伯杏奈自身の中で肥大している。常識で考えれば何かの勘違いとしか思えない二歳の子供の呟きに、だから佐伯杏奈は心を乱された。

咄嗟にそう考え、そう分析している自分に嫌気が差した。分析なんて馬鹿でもできる。問題はそこから先だ。そこから先、それじゃ、私に何ができる？　霊媒師でも呼んできて、おばあさんに乗り移った佐伯篤弘氏にきちんと愛情を伝えさせるのか？　そこから先、何もできない人間に、したり顔で物事を分析する資格などない。

「お姉さんは？」と私は聞いた。「どう思ってるのかな？」

「姉は、何にも思ってないよ」と佐伯杏奈は言った。「旦那と子供の世話で手一杯」

「ああ」と私は頷いた。

佐伯杏奈の姉は専業主婦だと聞いたが、それにしたって、掃除、洗濯、料理、子供の世話と、非現実に煩っている暇などないのだろう。

「それにもともと姉は、親父殿にあんまりなついていなかったから」

なついていなかった？

違和感のある言葉に、私は佐伯杏奈を見遣った。

「実の父親じゃないの」と佐伯杏奈は言った。「お袋様、再婚だから。姉も私も、親父殿の子じゃないの」

意外な告白に私は言葉に詰まった。佐伯杏奈の両親が再婚だとは聞いていたが、子供は二人の間にできたものだと勝手に思い込んでいた。姉妹は母親の連れ子か。

私は和尚の言葉を思い出した。葬儀会場にいた人はその人がこないのか話題にしていたというが、考えてみれば、ただ離婚した妻の再婚相手の葬儀に訪れる男もいないだろう。けれど、そこに二人の実子がいるというのなら話は違う。自分の子供の父親として長く過ごしてきた人の葬儀ならば、その男が顔を出す可能性はある。

「私が生まれてしばらくしてから知り合って、私が一歳のときに再婚したんだって」

「本当のお父さんは？」と私は聞いた。「葬儀にはいらっしゃらなかったみたいだけど」

「本当のお父さんは、この前死んだ親父殿だけよ」と佐伯杏奈は笑った。「血縁上の父親なら、どこかで普通に暮らしてるんでしょう。その人のことは何も知らないし、離婚したのは、姉が四つで、私は生まれる直前だったから、何の記憶もないの。会ったことすらない」

佐伯杏奈より四つ上の姉がいるのだから、彼女は佐伯篤弘氏が二十一のときに生まれていることになる。不自然ではないが、若過ぎる。少し考えれば、気づくことだった。

「ごめん。そんな話、知らなかった」と私は言った。

「今まであんまり喋ったことないから」と佐伯杏奈は言った。「ああ、そう言えば、高校の同級生で、これ、話したの、今の森野が最初かも」

何だか言いにくくてさ、と佐伯杏奈は笑った。

あのころ、窮屈な制服に悲鳴を上げていた私と同じ学校に、そんな境遇の佐伯杏奈が悲鳴一つ上げずに通っていたということか。

私は何だか、いたたまれなくなった。

たった一人の父親が死んだっていうのに……。

葬儀の日の佐伯杏奈の呟きを思い出した。

何も感じられない……。

そこか、と私は思った。その思いが、佐伯杏奈の中の何かを揺り動かして、佐伯篤弘氏の亡霊を呼び出している。

佐伯篤弘氏のほうは、いったい何を思っていたのだろう。二十九になる佐伯杏奈がまだ一歳のときの結婚だというのだから、二十八年前。今年、五十四で死んでいるのだから、結婚は二十六歳。今の佐伯杏奈や私より年下だ。今、突然、二人の子供の親になったら……。想像を巡らせようとして、私は首を振った。男と女の違いがあるとはいえ、それは想像を超えていた。佐伯篤弘氏だって同じだっただろう。突然、一つと五つの子供の父親になった二十六歳の男性は、やるべき務めを果たすことで、何とか二人の父親になろうとした。それでも、心の底から父親になり切ることができず、そこに生まれた微妙な距離を縮めることも広げることもしないまま、やがて早過ぎる死を迎えた。そういうことか。距離を縮められなかったがために佐伯杏奈はその思いを胸に抱え、距離を広げられなかったがためにその思いを振り切ることもできない。

だとするなら、と私はため息をついた。だとするのなら、今、この段階で私にできることは何もない。あとは時間が過ぎていくのを待つしかないのだろう。

「好きだったんでしょ？　お父さんのこと」と私は聞いた。

「どうかな」と佐伯杏奈は首をひねった。「実はよくわからない」

悪い人ではなかったけど、と佐伯杏奈は言った。

「褒められても、叱られても、何だろうな、孫の手で頭を撫でられたり、叩かれたりされてるみたいな。その手を払いのけても、つかみ返しても、体温が伝わってこないみたいな、そんな感じだったな」

「父親と娘なんて、でも」と私は少し考えて言った。「そんなものじゃない？」

「そうなのかもしれない」と佐伯杏奈は言った。「でも、私にはよくわからない」

「そう」と私は頷いた。

壁際の本棚には世界の名画を収めた全集が並んでいた。その上に飾られたボトルシップは故人の趣味だろうか。あるいは家族への土産《みやげ》にどこかで買い求めたものか。

「森野は？」

「え？」

「森野はどうだったの？　お父さんと、仲良かった？」

問われて、私は言葉に詰まった。別に仲が悪かったわけではない。けれど、殊更《ことさら》、仲が良かったわけでもない。高校生の娘と父親なんて、普通、あんなものだろうとは思う。そう。普通は。普通ならば、あれでいい。その後、いくつもの言葉を交わせるのなら、あれでよかった。

時間、と私は思う。いくつもの言葉を交わせたはずの時間を、あの日、私は突然に奪われた。失われた時間は再び戻ることはなく、言えたはずの言葉が私の胸の中に積もっている。聞けたはずの言葉を私はいつも虚空に探している。

「背中を見せるタイプの親父だった」と私は言った。「背中を見せて、何を語りたかったのかね。よくわかんないや。まともに向き合うのは、いつも喧嘩《けんか》するときだけだった。それも、口より先に手が出るタイプだから堪《たま》らないよ」

「何か、それ、想像通り」と佐伯杏奈は笑った。「森野のお父さんって想像すると、いかにもそういう感じ」

「そうかな」と私も笑った。

「だから、きっと、二人はうまくやれてたのよ」と佐伯杏奈は言った。

そうなのだろうか?

わからなかった。

私はいい娘でしたか?

今の私はいい娘ですか?

思い起こす両親に、私は時折問いかける。答えが返ってくることは、もちろん、ない。たぶん、佐伯杏奈も、これから先、答えのない問いかけを延々と繰り返すことになるだろう。それでも……。

それでもあなたにはまだ母親がいる。お姉さんだっている。そう言いたくなる自分がいた。悲しみはいつだって一人だけのものだ。たとえ同じ事柄に泣いている人が隣にいてくれたところで、それは自分一人だけのものだ。わかっていても、そう思ってしまう。私は、一人、首を振った。

「もし、また何かあったら連絡して」と私は言った。「何もなくてもいい。ただの愚痴でもいいから、誰かに何かを吐き出したいときには、私を使って」

「それも、森野の仕事？」

「そういうこと」と私は頷いた。「お代はすでにいただいています。ご遠慮なく」

「そうするわ」と佐伯杏奈は笑った。

いつも通り眼鏡屋のおかみさんの話は長かった。亭主の口が「ご飯を食べるため以外に開くことなんかありゃしない」ことは、私だって知っているし、十年以上前に結婚した息子が妻子を連れて遊びにくるほど気の利いた男ではないのも知っている。だから、隣人のよしみとして世間話くらいには付き合ってやってもいいとは思う。その覚悟で回覧板を持ってはきたが、出された写真には心の準備ができていなかった。ついでのようにさり気なく持ち出されたが、思えば先ほどから眼鏡屋の言葉はどこか上滑りしていた。それを持ち出すタイミングを見計らっていたのだろう。

「薄い壁二枚挟んでお隣さんだろ？　あんたの人生にろくに色が付いたことないくらい、私にだってわかってるさ。今だって、恋人なんていないんだろう？　だからどうだいって話さ。ね、取り敢《あ》えず、会うだけでもいいからさ」

神田が日本にいた二年間。私と神田が人目をはばかったことなどない。それでも、商店街の人にしてみれば、そこにいるのは文房具屋の倅と葬儀屋の娘だ。色だの恋だのとは結びつかなかったのだろう。

差し出された写真には、シャツの下に四次元ポケットを隠していそうな体型の男が商品見本のように収まっていた。

「どうせ男を紹介するなら、死んでる男を紹介してくれ」

写真を返しながら私は言った。

「死にたてのぴちぴちを。そっちのほうがありがたい」

「死にたてってあんたねえ。年寄りの前で滅多なことというもんじゃないよ」

「もちろん、眼鏡屋、あんたにも期待してる。そろそろどうだ？」

「どうだじゃないわよ。そうやってすぐ話を逸《そ》らす。ねえ、どうだい？　大学だっていいとこ出てるし、勤め先もしっかりしてるし、この次男ていうのが、またいいじゃない。姑《しゅうとめ》と揉《も》めることもないだろうしさ」

「勘弁してよ。いいよ、結婚なんて、まだ」

「まだって、あんた、いくつになった？　そろそろ三十だろ？　見合いするなら、今のうちだよ。私だけじゃない。商店街中、みんな心配してるんだ。あんたのとこの竹井なんて、ありゃ石地蔵みたいな男だし、こんな話、持ってきてくれやしないだろう？　あんたはあんたで、いつまで経っても色気のない格好してるし、見ているこっちが気を揉むじゃないか」

石地蔵とは言い得て妙だが、確かにその石地蔵だって結婚している。もう大学生になる娘だっている。

「ああ、もういいって」

このままでは退路がなくなりそうで、私は話を切り上げて立ち上がった。

「それじゃ、またな。死にそうになったら、救急車呼ぶ前にうちに電話しろ。楽にしてやる」

男にモテたけりゃ、まず、その口の悪さを直しなよ。

言い返した眼鏡屋に後ろ手に手を振ると、私は店を出た。隣の自分の店に戻ろうとした私は、そこで駅の方向から歩いてくる佐伯杏奈を目に留めた。私を認めると、佐伯杏奈は軽く手を上げ、ちょっと歩みを速めて私の前までやってきた。

「どうした?」

「ああ、うん」

佐伯杏奈は言い澱《よど》んだ。その様子からするなら、お茶を飲みに立ち寄ったわけでも、世間話をしにきたわけでもないようだった。込み入った話ならば、店より他で話したほうがいいだろう。佐伯杏奈をその場に待たせ、竹井に一言声をかけようと、私は店の戸を開けた。途端に歌声が流れてきた。マイク代わりのペンを手にして、調子よく節を回しながら、ぐっと腰を入れた桑田と私の目が、そこで合った。

「あ」と桑田が言って、固まった。

あいやあ、とアニメに出てくる中国人のような声を上げた桑田に、私はしばらく考えてから、聞いた。

「確か、バンドって言ってなかったか?」

「あ、はい。バンドっす」

「演歌?」

「演歌バンドっす」

「茶髪のロンゲで?」

「和太鼓担当は金髪のモヒカンでした」

「ふうん」

「三味線はアフロに舌ピ」

「それ、売れそうだけどな」

「商業ベースに乗る見込みはないそうっす」

「そういうもんかな」

「どこのレコード会社にもそう言われました」

「オリジナリティーはあるけど」

「それだけじゃ飯は食えないそうっす」

「時代が早かったのかもな」

「そうかもしれないっす」

「竹井は？」

「あ、出かけました」

「行き先は？」

「聞いてないっす」

「ってことはパチンコだな」

「たぶん、そうっす」

「じゃ、今日も仕事はないだろう。留守番、もうしばらく任せる。歌っていいから」

「あ、はい」

私は店の戸を閉めた。店の戸を前に、しばらくたたずんでいた私に佐伯杏奈が聞いた。

「どうしたの？」

「あ、いや」と私は言った。「ひょっとして自分は、自分が思うよりずっとシュールな日常を送ってるのかもしれないって思うとき、ある？」

「え？」

「あ、いい。何でもない」

私は佐伯杏奈を促して歩き出した。駅の手前、商店街の一番端にある喫茶店の看板は私が物心ついたときにはもう古ぼけていた。今ではそれはアンティーク調の趣きすらある。そこには『アルカディア』と、気が利いているのだかいないのだかもよくわからない名前が掲げられてはいるが、その名前で店を呼ぶ人は商店街にはまずいない。

「おお、葬儀屋」

ちゃんちゃんこ姿を商店街中に笑われて、もう五、六年ほど経つはずだ。カウンターに座り、退屈そうに新聞を眺めていた店の親父が私たちを振り返った。『ナミヘイの店』と呼ばれるのは、国民的漫画から抜け出してきたようなこの親父のふざけたはげ具合とちょび髭《ひげ》と丸眼鏡の責任だ。

「ちょっと、ここ、借りるぞ」

私は佐伯杏奈を連れて、店の一番奥の席に座った。

「借りるって、何だよ、それ。うちは喫茶店だぞ」

「私には、ただのご近所さんの玄関先だよ。構わなくていいけど、常識的に考えて、訪ねてきた客にコーヒーぐらい出さなきゃ気が済まないっていうなら、飲んでやってもいい」

ああ、はい、はい、コーヒーね、とぼやきながら、親父はカウンターの席から立ち上がった。

「お連れさんは？」

「あ、はい。あ、それじゃ、私もコーヒーで」

「あいよ」

いいの、と佐伯杏奈が小声で聞き、気にすんな、と私は普通の声で答えた。

「それで、何かあった？」

「ああ、うん」

佐伯杏奈は膝に置いていたトートバッグを開いた。差し出されたのは、少し大きめの茶封筒だった。目線で問いかけると、佐伯杏奈が頷いた。私は封筒の中を覗いた。一枚の厚手の紙が入っていた。私はそれをテーブルに置いて眺めた。

一面に咲き誇る紫はラベンダーだろうか。紫に彩られた広い草原に腰を下ろす母とその脇に立つ娘がいた。目鼻立ちまでは判然としないが、二人の間にある確かな愛情は感じ取ることができた。二人の間にあるその小さな温《ぬく》もりを一面の紫の花たちが祝福しているようだった。A４もないだろう。通常の書類サイズよりもう一回り小さな可愛《かわい》らしい絵だった。

「親父殿の絵」

「うん？」

私が聞き返すと、佐伯杏奈は指を伸ばして、絵の端を指した。

「初めて見る絵だけど、このサイン。親父殿の」

そう思って見れば、その崩れたローマ字はATSUHIROと読めた。故人は水彩画を描くのが趣味だった。和尚も確かそう言っていた。

「これが、何？」と私は聞いた。

「昨日、送られてきた」

そちらに飛んだ佐伯杏奈の視線に、私はそれが入っていた封筒を手にした。宛名は佐伯杏奈。消印は一昨日《おととい》。差出人は記されていなかった。

「誰から？」

佐伯杏奈は首を振った。

「わかんない。入っていたのは、その絵だけだった」

不貞腐《ふてくさ》れたように佐伯杏奈は肩をすくめた。死んでから二ヶ月も経って、死者の描いた絵が突然送られてきた。そういうことか。差出人もなく、何のメッセージもないとくれば、不貞腐れたくなる気持ちもわかる。誰が何のつもりで送ったものかは知らないが、受け取った遺族にしてみれば、それは心無い悪戯《いたずら》にも受け取れるだろう。

「お母さんは？　何て言ってる？」

「見せてない」と佐伯杏奈は言った。「ただでさえ参ってるところに、こんなの、見せられないよ」

確かにタイミングがよくない。孫がおじいちゃんを見たと騒いだのがつい先日だ。その直後にこの絵では、本当に死者が成仏しかねているようにも受け取れる。

親父がコーヒーを運んできて、私たちは口をつぐんだ。

「お、いい絵だね。お嬢ちゃんが描いたのかい」

私たちの様子に構う風もなく、親父が言った。

「ああ、いえ。父です」

「ああ、そう。上手だねえ」

私の前にコーヒーを置きながら、放っておけば私の隣に座りそうだった。

「うん。もういいから、向こうへ行っとけ。これ以上は、どうぞお構いなく」

しっしっと私は親父を追い払った。

「何だよ、それ」

ぼやきながらも、親父はカウンターの中へ戻っていった。

「この前のこともあったから」

コーヒーに砂糖を入れてかき混ぜながら佐伯杏奈は言った。

「何だか、その絵、親父殿から送られてきたような気がしちゃってさ」

「うん」と私は頷いた。「わかる」

「あの世から送られてきたメッセージみたいに思えちゃって」

「そうだね」

「何だか、ちょっとね」

「ちょっと？」

「参った」

「そっか」

「少し、泣いた」

「うん」

泣けたのなら、それでいい。葬儀のときも、あの火葬場のときも、佐伯杏奈が涙を流すことはなかった。どんなきっかけであれ、泣けたのなら、それは悪いことじゃない。私が言うところの絶情が、感情という形をまとったということだろう。そう思って私は佐伯杏奈を見た。が、そこにあった表情は私が期待したものとは違っていた。佐伯杏奈はどこか憮然《ぶぜん》とした表情で絵に視線を落としていた。

「まったく、何の嫌味なのよって、そう思ったら、何だか泣けてきちゃって」

「え？」

「それ、お袋様と姉。本当にこんなところに旅行に行ったのか、ただの空想なのかは知らないけど、子供は一人しかいない。お袋様と姉を描いたなら、二人のどっちかに送ればいいじゃない。それが何で私宛てなのよ」

私はもう一度その絵を見た。確かに幼い少女は一人しかいない。

「あ、ああ、でも、そうとは限らないいんじゃない？　あんたのほうかもしれない。お姉さんは、そのときたまたまいなかったとか」

「その子、いくつに見える？」

「え？　あ、どうかな。五つとか、それくらい？　もうちょっと下かな」

「仮に五つだとしたところで、私が五つのときなら、姉は九つ。九つの上の娘だけを置いて、下の子だけを連れて旅行になんて行く？　それに、そんなことがあれば、私だって覚えてる。だから、これは姉よ。私はこの年頃にこんなところへ行った覚えがない」

「それじゃ、やっぱり空想ってことは？　これは、お父さんの空想の世界」

現実の風景を描いたとするのなら、それは三十年近く前のことになる。きちんと保存されていたということなのかもしれないが、私の目にその絵は、それほど古いものには見えなかった。

「それでもやっぱりそれは姉なの」

「どうして?」

「そのベルト、覚えてるのよ」

「ベルト?」

「その女の子が着てる服のベルト」

私はもう一度その絵を見た。腰を下ろす母親が着ているのはチュニックだろうか。草に覆われて下までは見えないが、ふわりとした青っぽい服だった。その脇に立つ女の子が着ているのはワンピース。こちらは真っ白で、腰に赤いラインが入っていた。その赤いラインが腰の横で何かの形を取っていた。

「赤い布を巻くようになっていて、腰の横のところにバラみたいな花がついてるの。そのベルト、姉の」

「よく覚えてるな、そんなの」

「姉がとっても大事にしてた。ずっと大切に取ってあった。ひょっとしたら、今でも持ってるんじゃないかな。服だって靴だって、だいたいはお下がりになって私のところにきたんだけど、そのベルトだけは絶対にくれなかった。小学校二年生のときだったかな。

友達の誕生会があって、私はそのベルトを貸してって姉に頼んだ。本当は欲しかったんだけど、姉が大事にしているのは知ってたから、貸してって。でも、これだけは駄目だって言われた。これはお父さんからもらったベルトだから貸せないって。お父さんって、血縁上の父のことね」

「ああ、うん」

「それならやっぱり貸してくれたっていいじゃないって言ったんだけど、頑として貸してくれなかった。優しい姉だったのよ。お菓子でも玩具《おもちゃ》でも、自分の分がなくなったって、何でも私に譲ってくれる姉だった。だから、記憶に残っているのかな。それだけはどうしても駄目だって言われた。姉と喧嘩したのは、そのときだけだったような気がするな」

私はそのベルトをしたことがないし、だから、やっぱりその女の子は姉なの、と佐伯杏奈は呟いた。

誰が送ったものかはわからない。何のつもりかもわからない。けれど、そこには姉と母しかいなかった。姉が五つなら、佐伯杏奈はまだ一歳。誰かに預けて旅行に行けるような年齢ではない。そうでなくたって、その時期は二人が結婚した直後だ。家族旅行にわざわざ妹を置いて出かけはしないだろう。それが現実のシーンだとするのなら、そこには間違いなく佐伯杏奈がいたはずだ。にもかかわらず、佐伯篤弘氏はそれを描かなかった。空想の世界であったところで、佐伯杏奈にとっては同じ意味だ。佐伯篤弘氏は、意識的にわざわざそこから佐伯杏奈を排除しているのだ。嫌味、と佐伯杏奈が言ったその意味がわかった。その絵が存在することは仕方ないにしても、わざわざ自分に宛てて送りつけるその意思は、佐伯杏奈にしてみれば嫌味以外の何物でもないだろう。

けれど、なぜ？

なぜ、佐伯篤弘氏はそこに姉しか描かなかったのだろう？

私がその疑問を口にしようとしたときだ。

コーヒーを一口飲んだ佐伯杏奈がぽつりと言った。

「いつも一番は姉だった」

「何？」

「親父殿にとって、いつも一番は姉だった」

私の視線を避けるように佐伯杏奈は絵に視線を落とした。

「姉には血縁上の父親の記憶があったから。親父殿にはなかなかなつかなかった。私は物心ついたときには、父親って、もう親父殿のことだったから。血縁上の父親が別にいるって教えられても、何だかぴんとこなかった。父親って言えば、親父殿のことだった」

「ああ、うん」

「姉は親父殿にそっけなかった。でも親父殿はいつだって姉のことを見てた。嫉妬って言われればそれまでだけど、でも親父殿の中で一番は私じゃなく、いつも姉だった。だから、私は関心を引こうとした。いつだってお袋様より先に親父殿を頼った。何だってお袋様より先に親父殿に相談した。でも、親父殿はいつだって私のことは後回しだった」

考えてみれば当たり前よね。

母親とたった一人の少女が描かれた絵を見ながら、佐伯杏奈は言った。

「実の子じゃない姉妹のうち、妹はきちんと自分になついている。そう思えば、姉のほうを気にかけるのは当たり前。でも私にはそれがわからなかった。ううん、わかっていたけど、ムキになっていただけかもしれない」

ねえ、知ってた？

絵から顔を上げ、佐伯杏奈はわずかにきつい視線を私に向けた。

「高校時代、私、森野のことが大っ嫌いだった」

「ああっと」と私は言った。「私、何かした？」

「そうじゃなくて」と佐伯杏奈は言った。「森野の存在そのものが気に入らなかった」

それはまたずいぶんと嫌われたものだ。

「森野、冷たかったから。クールで、いつだって一人で、いつだってしゃんと背筋を伸ばしていて、かっこよかった。だから、大嫌いだった」

それほどひねくれていたつもりはないし、孤高を気取った覚えもない。部活ではソフトボール部に所属していたし、それなりに親しい友人もいた。けれど、高校時代のおおよその私の印象は佐伯杏奈が述べたようなものだったらしい。お前のやっているのはただのピッチングであって、ゲームではない。部の先輩からもそう言われたことがあった。結局、森野のことはよくわからなかった気がする。卒業してしばらくしたころ、一番親しいと思っていた同性の友人にもそう言われた。彼女との付き合いは、今はもうない。

「愛情を知らない子供が冷たい人間になるだなんて、絶対、嘘だよ。愛情を知らずに育った子供はね、必死で愛情を求めようとする。いつでも笑顔を振りまいて、押しつけがましいくらい優しさを示して、いつも周囲に目を配って、耳をそばだてて、それはもうぼろぼろになるくらい気を遣って。できればもう少し、あと少しだけでも好かれるように」

そういう人間にとってはね、と佐伯杏奈は続けた。

「冷たい人間が偉そうに見えるのよ。そうやって周囲に壁を作って、一人の世界に閉じこもっているように見えたって、結局、あんたはその世界の中で愛情を知っているんだろうって。そうじゃなきゃ、そんなに冷たくなれるはずがない。周囲にそんなに無関心でいられるわけがない。どんなに一人で立っているように見えたって、あんたの根っこが生えているその土の中には、誰かからの愛情がふんだんに撒かれているんだって、そう思うのよ。それがはっきりわかるの。だから私は」

森野が大嫌いだった。

そう言い切った佐伯杏奈に私は聞いた。

「お母さんは？　愛情を知らないって、だって、お母さんがいたでしょう？」

「お袋様は、いつも姉と親父殿との間でおろおろしてただけ。姉と親父殿。うちの家はその二人をどうにか一緒にしまいこもうとしている箱みたいだった。お袋様は閉まらない箱をどうにか閉めようとしているガムテープ。私は何の役にも立たない惨めなリボン」

佐伯杏奈はコーヒーをもう一口、口に運び、ふうと長いため息をついた。

「どうして葬儀をうちに？」

「卒業する直前に両親が死んだっていう話は聞いていた。だからかな。どんな風に変わっているのか、見てみたくなった」

「そんな理由で？」

「葬儀屋なんて、どこに頼んだって、大して変わりはしないでしょ？」

「今の私は？」と私は聞いた。「少しはマシになっていた？」

「変わってないよ、あのころと全然」と佐伯杏奈は笑った。「今だってかっこいい。あのころと同じ。結局それは、私のひがみでしかなかった」

「そう」と私は頷いた。

「だからさ、その絵が、何となく親父殿からのメッセージみたいに思えちゃって。別にそれならそれでいいんだけど、それにしても、いったい何で私宛てなのよって。何の嫌味なのよって、何だか無性に悔しくてさ。泣けちゃった」

「誰が送ったんだろう」

それ以上、絵について話せば佐伯杏奈を傷つけるだけだろう。私は話を戻した。

「誰であれ、その人は、お父さんの絵を持っていたんでしょう？　まったく知らない人ってこともないでしょう？」

「絵っていったって、高名な画家でもあるまいし、趣味で描いてただけだからね。特別気に入った絵ならともかく、そうじゃないのは、結構無造作に捨ててたし、欲しいなんて言ってくれる奇特な人がいればぽんぽんあげてたしね。写生して、描き上げて、それを脇で見ていた人がお上手ですねなんてお世辞を言おうものなら、それじゃどうぞなんて、相手の迷惑も考えずにその場であげてた」

「そう」と私は頷いた。

それにしたって、その相手はわざわざ絵を送りつけてきたのだ。まるで故人の頭の中にお前はいなかったとでも言うように佐伯杏奈に宛てて。だとしたら、そこには何らかの意思があっただろうし、そこに何らかの意思がある以上、佐伯杏奈、あるいは佐伯家とまったく無関係な人だとも考えにくい。

つまるところの問題は、と私は考えた。

なぜ、だ。

なぜその人はこの絵を佐伯杏奈に送ってきたのか。故人の愛情が佐伯杏奈に向けられていなかったことを、なぜ今になってわざわざ主張しようとしているのか。

誰かが起こそうとしている。

その絵を眺めながら、私は唇を噛《か》んだ。

すでに眠りについた死者の肩をつかみ、誰かが無理やり叩き起こそうとしている。まるで操り人形のように死者を使って、佐伯杏奈に悪い夢を見せようとしている。

そんなことを……許せるか？

神も仏も、私は信じない。信じないというより、その存在や不在に興味を持てない。いるならいるで構わない。いないならいないで構わない。それで何が変わるわけでもない。私にはそう思える。そんな私は葬儀の場で、だからただ死者だけを信じる。死者が神を信じたというのならその死者が信じた神を、死者が仏を信奉したというのならその死者が信奉した仏を、死者が神も仏も信じなかったというならその死者の有り様を、私は信じる。神仏の像が足蹴にされようが叩き壊されようが、経文や経典が煮られようが燃やされようが、私は何の痛痒《つうよう》も感じない。けれど、死者を偽ることだけは私は許せない。死者に対して死者にあるまじき行為を取らせるようなことだけは許すわけにはいかない。それは葬儀屋である私にとって売られた喧嘩に等しい。

「親戚の間にトラブルとかは？　たとえば、遺産とか、そうじゃなくても、感情のこじれとかでもいい。何かなかった？」

この絵を送りつけることに意味はない。もし意味があるのだとしたら、それは佐伯杏奈の感じた通り、嫌がらせ以外の何物でもないだろう。

「別にそういうことは何も」と佐伯杏奈は言った。「そりゃ、二人の娘を抱えた年上の女と結婚しようっていうんだから、親父殿の両親とかとはずいぶん揉めたらしいけど、でももう二人とも死んでるしね。親戚っていったって、特に親しい付き合いもなかったし。仲が良かったわけじゃなく、トラブルが起こるほど身近に付き合ってなかった感じ」

私は葬儀のことを思い出した。故人の会社関係の人は大勢きていたが、確かに親族の数は多くはなかった。その大方も喪主の身内で、数少ない故人の身内はどこか居場所がなさそうな風情で参列していた気がする。

「お父さんは？」と言ってから、私は佐伯杏奈の言い回しを借りた。「血縁上のお父さん」

「だから、何のつながりもないよ」と佐伯杏奈は言った。「物心ついてからだって、私は会ったこともない。向こうだって、興味ないんでしょ」

そうだろうか？

お前の育ての父親はお前のことなど愛していなかった。お前の父親は、たった一人の父親は、この俺だ。

この絵をきっかけに、佐伯杏奈の気を引こうとした。そうは取れないだろうか。

佐伯篤弘氏の絵がどうやってその手に渡ったかはわからないが、それだけ無造作に絵をばら撒いていたのなら、佐伯杏奈の実の父が手に入れることも不可能ではないだろう。

「お父さんの連絡先は？　わからない？」

佐伯杏奈は首を振った。

「私は知らないし、母も知らないと思う」

「そう」

二人の子供がいるにもかかわらず、その男女は連絡を絶っている。別れるに際して、相応の確執があったということか。

「お姉さんは？」

「知らないと思うよ。知ってれば、母はともかく私には教えるだろうし」

「そう。そうだね」

頷きながら私は違うことを考えていた。

男にしてみれば、別れた女房はともかく、別れた子供には会いたくなるときだってあるだろう。もし仮にそんなことがあったとしたら、父親がコンタクトを取る相手は別れたあとに生まれた妹ではなく、自分を覚えている姉のほうだ。そして姉にとっては、養父とうまくいっていない自分。養父になついている妹。だったら、実の父親に会うのは自分だけでいい。そう考えることだってあり得る。母親にも、妹にも知らせず、姉だけが実の父親と会っていたことがないとは言い切れない。

けれど、さすがに佐伯杏奈にそうは言えなかった。

「ああ、でも、一度、お姉さんの意見を聞いてみてもいいかな」

「え？」

「だって、お母さんにはこの絵のこと、話す気、ないんでしょう？　あと相談できるのはお姉さんくらいじゃない？」

「ああ、うん、それはそうだけど、え？　森野が姉に会うの？」

「ちょっと調べてみるよ。こういうことは、当事者が動くより、第三者が動いたほうがいい。それと、この絵、ちょっと借りるよ」

「それは構わないけど、どうして？」

「調べるときに必要になるかもしれないから」

嘘だった。私はただ、その絵をそれ以上佐伯杏奈の手の中に置いておきたくなかっただけだ。

佐伯篤弘氏がこの絵にどんな思いを託したのかは知らない。けれど、生前、それを佐伯杏奈に見せなかったというのなら、その絵が、今、彼女の手の中にあるのは、佐伯篤弘氏にとって不本意なことのはずだ。佐伯杏奈のためでなく、佐伯篤弘氏のために、私はその絵を彼女の手から取り上げたかった。

佐伯杏奈から絵を預かり、彼女の姉の現在の住所を聞いて、私は佐伯杏奈と別れた。

翌週、私は佐伯杏奈の姉を訪ねた。佐伯杏奈の姉は、私鉄の駅からほど近いマンションに住んでいた。夫の会社が借り上げたものだという。私は佐伯杏奈に頼んで、訪問の了解を取り付けていた。

「お忙しいところをすみません」

勧められた食卓の椅子に腰を下ろして、私は言った。専業主婦にとって都合のいい時間帯だろうと勝手に想像して、午後の二時を指定したのだが、昼下がりの主婦というのも暇ではないらしい。片隅に掃除機があるのは、かけていた途中だったのだろう。洗面所からは洗濯機の回る音がしていた。

ほら、よっちゃん。駄目よ。

玄関先では珍獣を見るように母親の足の後ろから私を眺めていた男の子は、私が椅子に腰を下ろすと、早速、膝によじ登ろうと私の足に手をかけていた。

「ああ、もう。ブッブー見せてあげるから。しばらく一人で見てて」

佐伯杏奈の姉は、部屋の片隅にあるテレビをつけて、DVDをセットした。程なく画面に自動車の映像が流れ始めた。男の子はその前のクッションに陣取り、画面を熱心に眺め出した。どうやら工事現場で使われる車を紹介するDVDのようだった。

「あの子のこれまでの人生、ほとんど車」

佐伯杏奈の姉は呆《あき》れたように私に笑いかけた。実の父親に似たということだろうか。喪主にも、喪主の面影が濃い佐伯杏奈にも、彼女はあまり似ていなかった。

「それで、絵ですって？」

フィルターで淹れたコーヒーを勧めると、私の前の椅子に座って佐伯杏奈の姉は言った。

「ええ、絵なんです」

「どんな絵なんです？　杏奈は何も言ってなかったけど」

佐伯杏奈の口からは言いにくかったのだろう。私は持ってきた絵をバッグから出して、テーブルの上に置いた。

「綺麗《きれい》な絵ね」

自分のほうに絵を回し、彼女は微笑んだ。

「あんまり上手な人じゃなかったけど、これは結構いい」

「絵は、まあ、それはそれでいいんですが」と私は言った。「これ、誰が何のつもりで妹さんの元に送ったのか、何か心当たりはありませんか?」

「父がプレゼントのつもりで、じゃない?」と彼女は言った。「息子も、父を見たらしいし」

画面を眺め続ける男の子のほうに目をやってから、彼女は私におっとりと微笑んだ。

「そういうことがあっては、おかしいかしら?」

おかしくとも、それはそれでいい。それが誰かを傷つける話でないのなら、私はそれでちっとも構わない。けれど、これはそういう話ではない。

「妹さんとしては、それが自分の元に送られてきたことが心外のようです」

「え?」と彼女は言った。「どうして?」

「お母様と、それからあなたですよね、それ。杏奈さんはそこにいない。他人の私の目から見ても、それは、お父様がわざわざ杏奈さんを避けて描いた絵のように映ります。杏奈さんにしてみれば尚更でしょう」

あ、と小さく呟いて絵に視線を落とし、佐伯杏奈の姉は表情を曇らせた。

「お父様とお二人との関係については、杏奈さんからだいたいのお話をうかがいました。

故人がどういうおつもりでそれを描いたのか。それは今となってはわからないことですし、考えても仕方のないことだと思います。けれど、それを送った人は何のつもりでそれを送ってきたのか。何であれ、そこには悪意を感じます。そちらは無視するわけにはいきません。できることならば、その相手を割り出して、私が話をしに行きたいと……」

私の言葉の途中で、待ったをかけるように、彼女は手のひらを上げた。

「ああ、でも、ちょっと待って。ああ」

死者から娘へのプレゼント。話がそれほど幸福な色を宿していないことに、思いが至ったらしい。佐伯杏奈の姉は、額に手を当てて、目を閉じた。

「何か実害が生じるような話だとは思っていません。ただの嫌がらせでしょう。ご家族が動けば感情的な話になりかねないですし、第三者の私が動いたほうがいいと思います。それでなんですが」

少しの逡巡《しゅんじゅん》のあと、私は覚悟を決めた。

「お父様の連絡先、もしご存知でしたら、教えていただけませんか?」

「父?」

「お二人の実のお父様です」

額から手を離して、佐伯杏奈の姉が不思議そうに私を見た。どうしてここに父親が出てくるのだと聞くように。

「お父様だと決めつけているわけではありません。ただ、妹さんから話を聞いて私が考えた限りでは、この件に関係するような人がそう多くいるようには思えませんでした。取り敢えず、お父様にお会いして、お話だけでもさせていただきたいと思っています」

「なぜあなたがそこまで？」

その声がわずかに尖った。実の父親を悪者のように言われては、それは穏やかではないだろう。

葬儀屋ですから。

その答えが佐伯杏奈の姉に通じるとは思えなかった。

「友人ですから」と私は言った。「妹さんの友人ですから。立ち入ったことだとはわかっていますが、できることがあるのならしたいだけです。失礼は重々承知していますし、それは心よりお詫《わ》びします」

「父の現在の居場所は私も知りません。二人が離婚してから、私は会ったこともありません。父にしたところで、私たちの居場所は知らないと思います」

それを鵜呑《うの》みにはできなかった。記憶のない妹とは違う。彼女は父親の記憶を持っていた。会いたいと思ったことは何度だってあっただろう。それに彼女は、妹を後回しにしてまで自分を気にかけてくれた佐伯篤弘氏と最後までうまくいかなかったという。もし仮に、彼女が実の父親と定期的に会っていたとしたら、それもわからない話ではない。けれど、今それを彼女に問い詰めたところで、父親の居場所を教えてくれるとは思えなかった。

「そうですか」

それでも何とか父親の名前と、以前、家族が暮らしていた住所は聞き出した。が、事は事件でもないし、私は警察でもない。それ以上、私が問いただせることはなかった。

帰ろうと腰を上げ、リビングの隅の戸棚の上にあった写真に目を留めた。子供の様子からすれば、半年くらい前だろう。河原らしき場所で家族三人が収まっていた。

「どこです？」

その写真を手にして、私は聞いた。

「長野のほうです。去年、旅行へ行ったとき」

戸棚の上には、他にも何枚かの写真が飾られていた。写真を元の場所に戻して、私は他の写真を眺めた。家族の写真もあったが、子供が一人だけで撮られた写真のほうが多かった。生まれたばかりの写真。はいはいをしている写真。立ち上がっている写真。不器用なピースサイン姿が一番最近のものだろう。わずか三年弱の間に一人の人間がそこまで変化することに、何だか不思議な気分になった。振り返っても特に成長らしきものを見つけられない自分の三年に忸怩《じくじ》たる思いにもなった。

訪問の詫びを言って、私はそのマンションを出た。出る間際だけ、男の子が私を振り返り、にかっと笑ってバイバイと手を振ってくれた。

「お帰りなさい」

店に戻った私を竹井が迎えた。その顔が微かに曇る。私の中のもやもやを察したのだろう。けれど、竹井がそれを口に出して問いただすようなことはない。知らないものが見れば、きわめて真面目に仕事をしているような顔で、デスクに広げているのはパチンコ攻略雑誌だった。

「桑田は?」

自分のデスクについて、私は聞いた。

「青井《あおい》さんのところへ手伝いにやりました」

少し離れたところにある葬儀店だ。葬儀のための人手が確保できなかったときにはお互いに融通し合っていた。私が手伝いに出たときもあるし、社長の青井さん自身に手伝いにきてもらったこともある。

「足、引っ張らなきゃいいけどな」

「大丈夫です。ちゃんと話してあります。裏方が欲しいだけらしいですから」

「そうか」

この仕事には、経験を重ねてナンボという部分も大きい。どんな形であれ、葬儀に出られるのはこちらにとってはありがたい話だった。

表の商店街は今日も静まり返っていた。私はデスクに肘をついて、ぼんやりとすりガラスの向こう側を眺めた。振り子時計がこちこちと音を立てていた。

「今日は出るかな？」

私は聞いた。竹井が顔を上げて外を見た。すりガラスの戸の向こうに何の気配を探しているのか。その様子は今日の夕飯を案じてひげをぴくつかせる老いた賢い野良猫を思わせた。しばらくそうしていた竹井はやがて首を振った。

「出そうにないですね」

竹井がそう言うなら確かだ。今日も仕事はない。

「パチンコ屋は？」

「そっちも出そうにないんですよ、今日は」

「いつもは出ているような言い方だな」

竹井は薄く笑って首を振ると、また雑誌に目を落とした。

私はバッグから絵を出して眺めた。目に映るものだけを見ていれば、微笑ましい絵だった。けれども、そこから排除された人がいると思うとき、その微笑ましさが、かえって残酷だった。

私は絵から目を上げて、首を一つ回した。それを送った相手としては、やはり姉妹の実の父親くらいしか思い当たらなかった。その居場所をどうやって探すか。

「なあ、竹井」と私は声をかけた。「前に、ほら、うちを使ってくれてた警察の人、何て言ったっけ？」

身元不明の遺体が出ると、警察は葬儀屋にその遺体を託す。もうずいぶん前に、うちに何度か声をかけてくれた警察官がいた。父と親交があったという。父の時代には仕事を回すことはなかったが、私が店を継いでしばらく、うちを頻繁に使ってくれていた。

「浅野《あさの》さんですか？」

「あのおっさん、まだ警察にいるかな」

「いるんじゃないですか。ぼちぼち定年でしょうが。何です？」

「いや、いい。ちょっとな」

私は電話帳を繰って、警察に電話をかけた。部署が変わっていたが、浅野さんはまだ警察に籍を置いていた。

「ああ、いや、悪いね。最近、ご無沙汰になっちゃって」

父の時代に仕事を回さなかったのは、公私混同だと考えたからだろう。私が店を継いでしばらく仕事を回してくれたのは、公私混同であっても、見るに見かねたということか。それだけでも十分に感謝していたし、それ以上の善意を重ねればそれは同情になる。

そうしなかったことにも感謝していた。

「いえ。仕事の催促じゃないですよ」と私は笑った。「今日はちょっと聞きたいことがありまして」

「何だろ？」

「人を探したいんです」

「仕事関係？」

「ええ。まあ。故人と関係のあった人で、連絡を取りたいんですが、今の居場所がどうしてもわからない人がいるんです。三十年近く前の住所ならわかるんですけど」

「三十年前なら、住民票を追うのは無理か。戸籍の附票を取るわけにはいかないの？」

本籍地の役所へ行けば、現住所が記載されている戸籍の附票の写しは取れる。実の娘である佐伯杏奈に頼めば何とかなるはずだが、できることなら避けたかった。佐伯杏奈の手を借りれば、父親の住所が彼女にも知れてしまう。わかれば会いたくもなるだろう。それがこの時点でいいことなのかどうか、私には判断がつかなかった。

「直接の親族という人がいなくて。何か方法はないですかね？」

「どうかなあ。前《マエ》でもあれば、調べてやるけど」

「前って？」

「前科」

「ああ、それはさすがにないと思います」

「そういうのって、結構、わからんもんよ。ま、一応、名前、聞いておくよ。もちろん、ネタ元は秘密にしておいてね」

「名前は間《ま》宮《みや》博《ひろ》史《し》です」

その漢字も教え、念のため、家族が暮らしていたころの住所も告げてから、礼を言って私は電話を切った。このラインもあまり期待できそうにない。とすると、どうやって姉妹の実の父親を探せばいいか。探偵社にでも頼めば、探し当ててくれるのだろうか。

絵を睨《にら》んで考えていた私の前に湯飲みが差し出された。

「お、サンキュ」

「綺麗な絵ですね」

湯飲みを手渡し、竹井は私の背後からその絵を眺めた。

「まあ、いい絵なんだよな」と私は頷いた。「絵そのものはな」

「何です？」

「ここに女の子が二人いれば、何の問題もない」

「そうなんですか」

「姉妹がいてな。描かれているのは姉だけ。自分が描かれていなかったことに妹は傷ついている」

「はあ」

「まったく、参るよ」と私はぼやいた。「今更、描き足せってわけにもいかないし」

「描き足せって、いや、でも」と竹井は言った。「いるじゃないですか」

「は？」

私は聞き返して、竹井を振り返った。竹井は絵から私に視線を移し、不思議そうな顔をした。騙《だま》し絵のように景色の中にもう一人の少女が潜んでいるのだろうかと思い、改めてその絵を丁寧に眺めてみたが私の目には何も見つけられなかった。

「え？　どこに？」

「どこにって」

聞き返されることのほうが意味がわからないというように竹井は私を見返した。

「だって、こっちがお姉さんなんでしょう？」

「そう」

「だったら、妹はここじゃないですか」

竹井はもう一人の人間を指差した。

「違うよ。それは母親だ」

何を言っているのだというように竹井が私を見ていた。

「は？」と私は言った。

「ええ？」と竹井が不思議そうに言った。「だって、違うんですか？」

すでに夕飯の支度が始まっていたのだろう。部屋には醬油《しょうゆ》とみりんを煮立てたような匂いが漂っていた。午後六時少し過ぎ。主婦にとって忙しい時間だろうとは想像できたが、このもやもやを明日まで抱えていられるほど私も暢気《のんき》な性分ではなかった。

「何か、お忘れ物？」

私を出迎えた佐伯杏奈の姉は首をかしげた。

「ああ、いえ。違います。聞きそびれたことがありまして」

「何でしょう？」

「佐伯篤弘氏とお母様が結婚なさったのは、お姉様が五歳で、杏奈さんが一歳のとき。それに間違いはないでしょうか？」

「ええ」

「お二人が知り合われたのは杏奈さんが生まれてしばらくしてから。それも確かですか？」

佐伯杏奈はそう言っていた。そして考えてみれば、その話がすべての前提なのだ。だから、いるはずの佐伯杏奈がそこにはいないということになる。けれど見方を変えれば、こう考えられもする。この絵がある。だから、その話は違うのだ、と。

それならば、絵の送り主は限定される。母か、姉か。姉だと思ったことに根拠はない。けれど、母ならばもう少し違う伝え方をするように思えた。

私は答えを促して彼女を見た。佐伯杏奈の姉の視線がわずかに揺れていた。それで私の心証はできた。けれど、これ以上、言葉で確認するべきなのかどうか、決めかねていた。私の思う通りならば、彼女が望まない限り、それは私が首を突っ込むべきことではない。

迷いを振り切ったように彼女の視線が定まった。

「上がってください」

彼女のあとについて、私は再びその家に上がった。リビングでは男の子が床にミニカーを走らせていた。私を認めると、男の子はにかっと笑って、誇らしげにミニカーを掲げた。

「おいいるろおだ」

「ああ、うん。そうね。ホイールローダーね」

ブルドーザーのキャタピラ部分がタイヤになっているそれは、ホイールローダーというものらしい。

「ダンプ」と、それは私も知っている別のミニカーをつかみ、彼は私のもとに寄ってきた。どうやらそれで一緒に遊べということらしい。

「ああ、ごめんね、よっちゃん。またブッブー見ててくれる？」

彼女がＤＶＤをセットすると、男の子はミニカーを両手に持ったままテレビの前に陣取った。彼女が私に椅子を勧め、キッチンに立とうとした。

「どうぞお構いなく。すぐに失礼します」

彼女が私の前に座った。ＤＶＤの映像に合わせて、男の子は床に二つのミニカーを走らせていた。私は預かっていた絵を取り出し、テーブルの上に置いた。

「この絵に、杏奈さんはいるんですね？」

私は聞いた。

チュニックって何です？

絵に描かれた母親の服装を見て、竹井はそう言った。

それ、マタニティーでしょう？

そこに描かれている時代を考えれば、竹井の言い分のほうが正しかった。そのころにだってチュニックはあったのかもしれないが、それがはやったという話は聞いたことがない。そういう目で見てみるのなら、母親が着ているふわりとしたその青い服はチュニックではない。マタニティードレスだ。だから、妹はそこにいる。この母親のお腹《なか》の中に。

白いワンピースに父親からもらった赤いベルトを巻いている姉。これから生まれてくる妹をお腹に宿して、幸福そうに姉を見つめる母。三人を祝福するような一面の花。

これはそういう絵なのだ。その三人を見ている、佐伯篤弘氏の温かな視線によって描かれたものなのだ。そこにあるのは、自分ではない男を父親とする少女と、その少女の母親、そして母親が宿している新しい命を丸ごと引き受けようとしている、一人の男性の大らかな愛情だ。

そして、もしそうならば、この絵が意味するところは重大だ。なぜなら、佐伯篤弘氏は、佐伯杏奈を産み落とす前のその女性と知り合っていたことになるから。

「杏奈さんはお母さんの中にいる。そうなんですね？」

佐伯杏奈の姉が頷いた。

そしてそこからさらにもう一歩進めて考えるのなら。

「杏奈さんの実の父親は佐伯篤弘氏だった。そういうことですか？」

ああ、と吐息を漏らすように天を仰いだ佐伯杏奈の姉は、やがてそのままで小刻みに何度か頷いた。

「なぜです？　佐伯篤弘氏は、なぜそんな嘘を」

「すべて私のせいです」

彼女が視線を下ろし、私に言った。

佐伯篤弘氏と母親が知り合ったのは、母親が前の夫から逃げ出すように居を替えて間もなくだった。小さな娘を預けながら必死に働く若い母親の前に、一人の青年が現れた。二人は惹《ひ》かれ合い、母親の離婚が成立すると、やがてともに暮らし始めた。離婚から半年、母親は再婚することはできない。半年が過ぎたら、すぐに結婚しよう。二人はそう誓い合った。けれど、そのとき、すでに彼女のお腹には新しい命が宿っていた。そして民法上、婚姻解消後、三百日以内に生まれてきた子供は、別れた夫の子供であると推定される。もちろん、それはあくまで推定の話でしかない。別れた夫の否認があれば、その推定は出生からさかのぼって覆《くつがえ》される。けれど二人は、その手続きを取らなかった。

「父の居所がわからなかった。そう言っていましたが、たぶん、違うと思います。きっと二人は、最初から父の居所を探そうとしなかったんでしょう」

「なぜです？」

「私が一人ぼっちになってしまうから」

しばらく考え、私はため息をついた。

「ああ」

「杏奈が一歳になるのを待って、二人は籍を入れました。それならば、将来、私たちが戸籍を見るようなことがあっても、不自然に思うことはない」

母は父親とは違う男と暮らし始め、その男の子供も生まれた。そうなれば、姉はそこで一人ぼっちになってしまう。けれど、それが同じ父親から生まれた妹だとするのなら話は違う。父親のいなくなった家庭に、新しい父親がやってきた。そういうことになる。

「だからって」

私は言って、先の言葉を飲み込んだ。

「ええ。だからって、です」と佐伯杏奈の姉は頷いた。「でも、わかる気がするんです。きっと若かったんですよ。二人とも。背負えるものはすべて二人で背負えばいい。そう考えるくらいには、きっと若かったんです」

二人さえ口をつぐんでいれば、姉が居場所を失うことはない。そして二人さえきちんと努力をすれば、四人で温かな家庭を作れるはずだ。

そう考えた若い二人の思いは私にもわからなくはない。わからなくはないけれど、その秘密を実際に、何年も、何十年も守り通そうとすれば、どこかに必ず無理が出てくる。そして、破綻も。

「私が小学校五年生のときでした。夏休みが始まる前の日のことです。突然、学校に実の父親が訪ねてきました」

最初は父親だとわからなかったという。けれど、父親が名乗れば、その記憶は鮮やかに少女の頭の中に蘇《よみがえ》った。

ソフトクリームでも食べに行こうか。

父親が誘った。

杏奈ちゃんも連れてくる。

まだ学校にいるかもしれない。小学校一年生になっていた妹のクラスに駆け出そうとした少女を、男の声が引き止めた。

杏奈ちゃん？　それ、誰？　お友達？

少女は呆然《ぼうぜん》とした。

「杏奈と私が父親の違う姉妹だと知ったのは、そのときでした」

少女は父と母から、本当の話を知った。

どうしたい？

両親は少女に答えを預けたという。

今のままがいい。

少女はそう答えた。

「今思えば、あのとき、私が違う答えをしていればよかったんです。杏奈ちゃんにすべて教えてあげればいい。私は大丈夫だから、教えてあげてって、そう言えばよかったんです。でも私には言えなかった」

「無理もないと思います」と私は言った。

混乱していたのだろう。何年ぶりかに実の父親と対面した。妹と父親が違うことを知った。両親が何年もの間、嘘をつき続けていたことを知った。そのどれ一つを取っても、小学校五年生の女の子がすぐに消化しきれる事柄ではない。だから、せめて今はこのままで。もう少しこのままで。そう願った少女の気持ちは私にもわかった。

「そんなに簡単に割り切れることではないでしょうから」

「割り切る」と彼女は言って、首を振った。「そうですね。でも、私はどこかで割り切らなきゃいけなかったんです。どこかで割り切って、割り切れないのなら、余りは自分一人で飲み込むべきだったんです。そのときでなくとも、もっと先でも、五年後でも、十年後でも、どこかでそうするべきだった。けれど、割り切れなかったその余りを私は家族にぶつけてしまった」

その日以来、少女の目に映る風景は一変した。どんなに父親が自分を気にかけてくれても、それはただの同情にしか見えなかった。父親に無邪気にまとわりつく妹が妬ましかった。私はここにいるべきではない。ここは私の家庭じゃない。少女がそう思えば思うほど、父親は少女を気にかけ、妹は父親にまとわりついた。もともと遠慮と気後れから始まった父親との距離は、いつしか飛び越せない溝となって広がっていった。

「いつか言わなきゃいけない。ずっとそう思っていました。小学校を卒業したら、中学を卒業したときには言おうと思った。中学を卒業したら、高校を卒業したときには言おうと思った。でも言えなかった。私は許せなかった。父を捨てて、それで作った家庭で三人が幸福になることなんて許せなかった。ああ、いえ、違います」

そうじゃないです、と彼女は呟いて、視線を落とした。

「私の実の父親というのは、駄目な人でした。子供の私の目から見れば、ただの気のいい人でした。でも、今ならわかります。父は夫としては、父親としては、てんで駄目な人でした。おぼろげな記憶しかないですけれど、子供のころ、母はいつも誰かに謝っていた気がします。その母をよそに、父は私をあやして遊んでいました。無責任で、能天気で、腰の軽い遊び人。たぶん、そういう男だったんでしょう」

彼女は目を上げた。

「離婚というより、母が私を連れて逃げ出したんだと思います。父と別居してから、私たちは転々と居場所を替えました。それでも父は行く先々へ訪ねてきました。そしてまた引っ越し。そのころはわからなかったですけれど、母はきっと父から逃げ出そうとしていたんです。居場所を知られるたびに、家を替えた。そういうことだったんだろうって思います。その間に、この前死んだ父と知り合い、杏奈ができた。それで父は実の父親と話をつけた。おそらく、まとまったお金をいくらか用意したんでしょう。二人は離婚した」

実の父親は、少女にとって拠《よ》り所になれるような男ではなかった。

「だから、私は家族からはじき出されるのが怖かった。家族を失うのが怖かったんです。今のままでいい。これまで何の問題もないんだから、だったらそれでいいって。二人の優しさに甘えて、二人を恨むようなふりをして、ただ私は怖かっただけなんです。でも、私の結婚が決まったとき、もうこれ以上、引きずっちゃいけないって思ったんです。私はもう新しい家庭を築く。私の居場所は私が作る。だから、もういいよって。もう楽になってって」

お父さん、お母さん、ありがとう。

二十六になっていた少女は、その日、心から両親に頭を下げた。申し訳なさと感謝。ない交ぜになった思いで、胸が潰れそうだった。

杏奈には私から話をさせて。

そう言った姉に、両親は首を振ったという。

あの子が結婚するまで、今まで通りでいてあげてくれと。

「そのときにはもう、それは私の問題じゃなく、杏奈の問題になっていたんです」

「ああ」と私は頷いた。

姉が二十六なら、佐伯杏奈は二十二。二十二にもなった女性が、姉と父親が違うことを知っても致命的に傷つくとは思えない。けれど、二十年以上もの長きに渡って、両親に嘘をつき続けられたこと。その嘘によって、父親との関係がぎくしゃくしてきたこと。そのことにはどうしたって傷つくだろう。姉の逡巡は、今度は妹にとって取り返しのつかない時間を生んでしまった。

だからあの子が、今のお前と同じように、自分で自分の家庭を築くとき、そのときに三人で話をしよう。

父親はそう言ったという。けれど、そう言った父親は、それから六年後には病を抱え、やがて逝ってしまった。ただ一人の実の娘に真実を告げることもなく。

「言おうっていったんです。父がもう治らないとわかったとき、杏奈にすべてを言おうって。でも」

父親はそれを拒否した。父親は間もなくいなくなる。ただでさえ、みんなが混乱している。こんなときに言うべきことではない。今まで通り姉として、杏奈を支えて欲しい。杏奈が結婚するとき、二人で伝えてくれればそれでいいと。

父親はそう言って、一枚の絵を姉に託した。

私はその絵に視線を落とした。一人の少女。一人の母。その胎内の新しい命。紫の花が口々に叫ぶ。愛してる。愛してる。愛してる。愛してる。

私はため息をついて、顔を上げた。

誰も悪くない。ただみんなが普通に傷つきやすくて、普通より少しだけ優し過ぎただけだ。馬鹿馬鹿しいとはそう思う。けれどその馬鹿馬鹿しさを含めて、私はその人たちが愛《いとお》しかった。

「葬儀のとき、あの子、泣かなかった」

佐伯杏奈の姉が言った。

「実の父親の死に涙することさえ、私は杏奈に許さなかった。私は……」

私は杏奈にとんでもないことをしてしまった。

「だから、なんですね」

佐伯杏奈の姉は頷いた。

その絵を佐伯杏奈に送った。あたかもそれが父親からのメッセージであるかのように感じてもらうために、小さな嘘をついてから。

「どうやったんです？」

私は佐伯杏奈の姉に聞き、唯一の共犯者を振り返った。

「よっちゃん」

母親の声に男の子がこちらを向いた。

「かくれんぼしよっか」

男の子が頷いて、ミニカーを放り出すと勢いよく立ち上がった。

「イーチ、ニーイ、サーン」

母親が目を両手で覆うと、男の子はまっすぐに戸棚のほうへ行き、背伸びをしてその上にあった写真たてを手にした。きょろきょろと辺りを見回し、その写真たてをさっきまで自分が座っていたクッションの下に隠した。

「もういーかーい」

母親の声に男の子が応じた。

「もういーよー」

母親が覆っていた両手を開けて、私を見た。

「これがうちのかくれんぼ」

狭いから、と母親は私に言いながら席を立ち、きょろきょろと部屋を見回した。

「どこかなあ」

ふふうん、という顔で男の子が母親を見た。

「何度かやってると、すぐわかっちゃうんです。隠れる場所なんてそんなにないから。だから、自分の写真を隠す。これがうちのかくれんぼ」

ここか、とクッションを撥《は》ね上げて母親が言うと、男の子はきゃっきゃと笑った。

「当たりー」

たどたどしく言って、男の子は母親に飛びついた。

「当たったー」

男の子を抱き上げて、母親が笑った。

その日、彼女は佐伯篤弘氏の小さな写真を食卓の下に貼りつけておいたのだろう。大人の目線の高さではそれを見ることはない。けれど、子供の目線ならそれは目につく。

まだ死などという概念を理解できない男の子にしてみれば、かくれんぼで写真をそこに隠したおじいちゃんは、どこに行ったのだと、当然、そう思うだろう。佐伯篤弘氏の存在を意識させてから、絵を送る。三人を大らかな愛情で包み込もうとしている佐伯篤弘氏の絵を。そしてその絵が意味することに気がつけば、佐伯杏奈はやがてそのことに思い当たるかもしれない。彼女はそう考えた。けれど、彼女の思惑とはまったく違う感情を、その絵は佐伯杏奈にもたらしてしまった。

まったく、と私は思った。

まったく、何て不器用な人たちだろう。

「どうするんです？　これを彼女に伝えるんですか？」

「ええ」

息子をぎゅっと抱いた佐伯杏奈の姉が頷いた。

「伝えます。最初から、そうするべきだったんです。許してもらえるとは思っていません。でも、伝えます。私の口から」

「優しい姉だと言ってました」

「え？」

「杏奈さんです。あなたのことを優しい姉だと」

彼女は息子を降ろしてその頭を撫でた。息子は満足そうにそれを受けてから、またテレビ画面に向かった。

「優しくなんてない」

彼女は呟きながら私の前に戻った。

「私はただ、後ろめたかっただけです。両親に残酷な仕打ちをするその代わりに、私はいい姉を演じた。それだけなんです。いえ、いい姉を演じたことそのものだって、両親へのあてつけだったのかもしれません」

「それでも、杏奈さんにとっては優しいお姉さんだったんですよ」と私は言った。「それが変わることはないです。きっと」

それを告げられた佐伯杏奈が何を思うか、私にはわからない。けれど、この人たちが家族として過ごした時間は、きっと何かの支えにはなってくれる。

たぶん、この人たちはもっと信じるべきだったのだ。自分が相手を思うその気持ちが、相手の中にもあることを。きっと、ただそれだけでよかった。

「この絵、置いていきます」

「家に送れと言われたんですけどね」と佐伯杏奈の姉は笑った。「やっぱり、私が手渡します」

「そうされるのがいいと思います」

佐伯杏奈が店を訪ねてきたのは、その翌々日だった。前の日、佐伯杏奈は姉からその話を聞いたという。

「何だかよくわからない」と佐伯杏奈は言った。「何だかすごく頭にくるような気もするし、どうってほどの話じゃない気もする」

「そう」と私は頷き、聞いた。「お姉さんとは？」

「一発、ビンタした」と佐伯杏奈は笑った。「思いっ切り腰の入ったやつ。考えてみれば、姉を叩いたのって、あれが初めてかも」

「そっか」と私も笑った。

「そのあと、抱き合って泣いた」と佐伯杏奈は言った。「それも初めてだった」

「うん、そっか」

それならたぶん、二人はこの先、姉妹としてやっていけるのだろう。

「それにね、そうわかってみると、何だか親父殿って、いつも私を気にかけてくれてた気がしてさ。あのときはそういえば、ああしてくれたとか、こんなことを言ってくれたときもあったとか。何だかすごく、ああ、何て言うのかな」

佐伯杏奈はそう言ってちょっと照れ臭そうに笑った。

「だから、私は愛されてたんだなって、そう思えてきて」

「そう」と私も笑みを返した。

「そう思うとさ、結局、私たちって普通の親子だったんだなって。親父殿はきちんと私のことを見てくれていて、でも娘の私はそれに気づかずに勝手に親父殿をちょっと恨んだりして。でも、そういうのってつまり、だから、普通の親子なんだろうなって」

「そうだね」と私は頷いた。

親子という近しい関係だからこそ、愛情はすれ違う。もしその家庭を客観的に眺めたとしたのなら、ひょっとしたらそれはどこにでもある微笑ましい家族の風景で埋め尽くされていたのかもしれない。

しばらく世間話をしてから、佐伯杏奈は腰を上げた。私は店先まで見送った。

駅に向かいかけた佐伯杏奈は、そこで私を振り返った。私を振り返った視線はそのまま私を素通りして、駅とは逆の方向へ飛んだ。

「神田くんは元気？」

「ああ、え？」

「カンダ文具店の神田くん」

商店街の先にあるそちらに目をやってから、佐伯杏奈は私に視線を戻した。

「ああ。今、アメリカだけど、元気らしい」

「ごめん。一つ嘘ついた」

「嘘？」

「私が森野を大嫌いだったのは、神田くんと仲がよさそうだったから」

「はあ？」

私と佐伯杏奈はしばらく見つめ合い、ほとんど同時に笑い出した。

「告白したの。高二のとき、放課後、図書館で。二秒で振られた」

図書館で顔を合わせた覚えがあるな？

あの野郎。

「それ以来、森野を嫌ってた。いや、あれは呪ってたと言うべき？」

「道理でな」と私は言った。「冴《さ》えない高校生活だったわけだ」

私たちは顔を見合わせて、また笑った。

それじゃ、と佐伯杏奈は言った。

うん、と私は頷いた。

歩道に舞う春風の中を佐伯杏奈は帰っていった。その背中が見えなくなるまで見送り、私は空を見上げた。ふと、一枚の絵が浮かんだ。春の柔らかな日差しの中、草原の中に立つ三人の女性。みんながサンダルを手に持って、草の感触を楽しむように軽やかに裸足《はだし》で歩いている。笑い合い、弾《はず》むように歩く姉妹の背後に、二人を微笑み見つめる母がゆったりと歩いている。

仰いだ空に私は問いかけた。

今、その絵をそこに描いたのは、佐伯篤弘さん、あなたですか？
現実の柔らかい日差しの中、私は天に向かって大きく伸びをした。

ACT.2
爪痕

なぜ？

女は私に聞いた。

これまで、様々な人から、同じ「なぜ」を何度ぶつけられたことだろう。その「なぜ」に答えなどない。問うほうも、きっとそれはわかっている。わかっていながら、それでも問わずにはいられない。

なぜ？

理由ではない。それは時期についての問いかけだ。「いつか」であることはわかっていた。けれど、なぜ「今」であるのか。人はそれを私に問う。私でなくともいい。誰でもいいのだ。問わずにはいられないその問いかけをたまたまその場に居合わせる私に問う。問いかけられた私に答えはなく、問うほうもまた答えを求めてはいない。私にぶつけられた「なぜ」はやがてその輪郭をなくし、私たちの間にある虚空《こくう》の中へと消えていく。私は唇の端に笑みと取れなくもない微《かす》かな歪《ゆが》みを載せることで、そのわずかな時間をじっとやり過ごす。

唇の端の微かな歪み。眉間に寄せるわずかな皺《しわ》。それが私たちに許された数少ない武器だ。私たちには、笑むことはもちろん、泣くことも許されない。私たちはその二つの表情と無表情を使い分けながら、表面的にはただひたすら事務的に事を進める。そうすることで依頼者たちに理解してもらう。これは幾度となく繰り返されたことなのだと。これまで地球上に生まれてきた、何兆、何京《けい》という人たちと同じことがあなたの近しい人にもただ起こっただけなのだと。

「なぜなんでしょう？」

額に手を当て、女は同じ疑問を繰り返した。答えるべき言葉はやはりなかった。なぜ、今なのか。なぜ、今死ななければならなかったのか。今でなくたっていいじゃないか。どんなに疑問を連ねようと、人は死ぬ。死ぬときに死ぬ。残酷なまでにかたくななその一線を、あるときふっと乗り越える。

けれど彼女の「なぜ」は通常の「なぜ」とは少し違っていた。そこには通常のものとはもう少し違う切実さがあった。だからどんなに私がやり過ごそうとしても、彼女の「なぜ」は私たちの間の虚空に消えてなくなってはくれなかった。それでもやはり私は言葉もなく、いつもの表情でその「なぜ」を受け止めるしかなかった。

「本当に何で」

彼女は繰り返し、首を振った。

「あと三ヶ月。いえ、あとひと月でもあとだったら私が」

私が送ってあげられたのに……。

そう呟《つぶや》いて彼女は、涙を一つこぼした。

三十分ほど前、五月の雨の匂いをまとって店に入ってきたその女は牧瀬裕子《まきせゆうこ》と名乗った。年は私よりいくつか上、三十五、六だろうか。線の細い女性だった。

その涙は何なのだろう？

デスクの上にあったティッシュの箱を彼女に差し出しながら、私は思った。悔しさか。悲しみか。あるいはやり場のない憤りがそういう形を取ったのかもしれない。

彼女は涙を拭ったティッシュを丸め、手の中に握り込んだ。今時の若い女の子と違って短く整えられた爪には、今時の若い女の子と違って何の色も付いていなかった。それはどこか、自分の爪に似ている気がした。

「つまり」と私は話を戻した。「もう一度、葬儀をしたいと、そういうことですね？」

彼女は頷《うなず》いた。

「あなたを喪主として」

彼女はまた頷いた。

私はデスクにいる竹井を見遣《みや》った。親の代からこの店で働いている竹井にも、それは経験のない依頼だったのだろう。珍しく困惑したような表情で私を見返してきた。桑田は先ほどから困ったように、彼女と私と竹井の顔を順繰りに見比べていた。彼女に視線を戻す一瞬の間に、私は腹を決めた。

「葬儀という形ではお受けしかねます」

ティッシュを握り込んでいた彼女の手に力が入った。指が血の気を失い、白に染まった。

「立花慎三様のご葬儀は、先日、私どもが執り行いました。同じ仏様のご葬儀を二度やるわけには参りません。それでは先日の喪主様に申し訳が立ちません」

きっとなって顔を上げた彼女は、私を一瞬だけ睨《にら》みつけ、それから力なく視線を落とした。

「喪主」

彼女は呟いた。わずかに笑ったようだ。

「あの女が喪主？」

ヒステリックな嘲笑《ちようしよう》が言葉の端に載っていた。そのままバランスを崩すかのように思えた彼女の感情は、それでもぎりぎりのところで踏み止《とど》まった。

「あの人は、立花慎三は、あの女の夫であることに嫌気が差していたんです。嫌気が差して、離婚しようって思っていて。だから、あとひと月でもあとだったら……」

立花慎三氏は、奥さんと離婚して、彼女と一緒に暮らしていた。もし、立花慎三氏を襲った突然の脳溢血《のういっけつ》がその後の話であったのなら、彼女が喪主となって葬儀を営んでいたはずだ。それを立花慎三氏だって望んでいたはずだ。だから、彼が望む形のその葬儀をしてやりたい。それが彼女の言い分だった。

「そのお話は先ほどうかがいました」

彼女のバランスを崩さないようなるべく柔らかく、それでもこちらの意思が届くようにきっぱりと私は言った。

「お気持ちはお察しします。ですが、こちらといたしましても、一度執り行った葬儀を、喪主様を代えてやり直すというわけには参りません」

「お金なら払います。いくらですか？　おっしゃってください。二百万でも、三百万でも」

その金額に一瞬でも心が動きそうになった自分が恨めしかった。森野葬儀店にとってその額は、決して無視できるものではなかった。店の預金残高と、次の給料日のことがちらりと頭をかすめた。

「金額の多寡《たか》の問題ではありません。私どもの職業倫理とご理解ください。先だっての喪主様の了解があるのならともかく、そのような真似《まね》は私どもはいたしかねます」

彼女が口を開きかけた。

「どこか」

彼女を制して、私はすぐに言葉を続けた。その口から四百万、五百万などという言葉が出てきたら、断り続けられる自信がなかった。

「どこか他の葬儀店ならば、受けるところもあるかと思います。仏様がいらっしゃらないということでは、通常とは違うものにはなるでしょうが、それでもお心がいくような式を営んでくれる店はあるかと思います」

私の言葉の途中から彼女は首を振り始めた。

「それでは意味がありません」

彼女は辛抱強く言った。

「私は葬儀をやり直したいんです。あんな女がやったことを葬儀と認めたくないんです。だから」

だから……。

最初の葬儀を執り行ったうちでなくては駄目だということか。彼女が店にやってきてから三十分。出したお茶も冷め、私は胸の中で何度目かのため息をつき、結局、話は一番初めに戻ってしまった。

「たとえば、追悼というような形での式でしたら、お受けいたします」と私は言った。

「本来の仕事ではないので、内容はお話をうかがいながら決めていくということになるかと思いますが、故人を偲《しの》ぶ会といった形ならばお受けできます」

彼女は首を振った。

「それでは意味がありません」

「お気持ちは本当にお察しいたします」と私は言った。「けれど、それを受けるわけにはいかないこちらの立場もご理解ください。今、申し上げた形か、あるいは他の店をご紹介することはできます。ですが、それ以上は」

「どうしても、駄目ですか？」

「誠に申し訳ありません」

私は頭を下げた。彼女が諦めるまで、上げるつもりはなかった。私の意思を彼女も察したようだ。

「そうですか」

ため息のように呟くと彼女は席を立った。その間に私の気が変わることを期待するように、やけに緩慢な動作で薄手のコートに袖を通し、置いていたバッグを腕にかけた。店先で傘を開いたその背中がすりガラスの向こうから消えるのを上目で確認して、私は頭を上げ、どっと息を吐いた。

「お疲れ様です」

デスクの向こうにいた竹井が席を立ちかけた。

「あ、俺、やります」

桑田が言って、私の前にあった二つの湯飲みを取り、店の隅の流しへ持っていった。

桑田は新しいお茶を淹《い》れてソファーにいた私とデスクにいた竹井に渡すと、自分の分を持ってデスクに戻った。

「それにしてもわかんないもんすよねえ」とお茶に息を吹きかけながら、桑田は言った。

「あの爺《じい》さんに」

「仏様」と私は訂正した。

「ああ。あの仏さんに、愛人ねえ」と桑田は言った。

「まあ、それは、確かにな」

この前の葬儀を思い出しながら、私は言った。もともとは近くの基幹病院から搬送の依頼を受け、そのまま葬儀も請け負った。どことい って変わったところはなかった。喪主である奥さんは心から夫の死を悲しんでいるようだったし、同居している長男の家族も故人の死を悼《いた》みながら、夫を亡くした老いた母親をいたわっていた。仲の良い家族だったのだろう。私はそう思ったし、そうとしか見えなかった。

「ええ重い死体でしたよね」と桑田は言った。

「ご遺体」

「そう、ご遺体でしたよね」と桑田は言い直した。「棺《ひつぎ》に移すの、大変だったし。年だって、あれ、いくつでしたっけ？」

「七十、ええと」と言って、私は竹井を見た。

「二です」と竹井が言った。「七十二」

「七十二で愛人かあ」と羨《うらや》むように桑田が言った。「すげえなあ。やっぱ財産目当てですかね。金はそこそこありそうだったし。あ、それで今になってごねてきたんすかね」

「違うだろうな」と私は言った。「財産目当てなら、葬儀前に遺族相手にごねるさ」

金銭目的なら、葬儀前が一番、効果的だ。どうであれ、葬儀は静かに執り行いたい。遺族はそう思うものだ。それで丸く収まるなら、事実関係をろくに確認もせず、金を支払う遺族だっているだろう。実際に、葬儀前、そういう揉《も》め事を目の前にしたことも何度かある。

「じゃなきゃ、葬儀会場に乗り込むとかな。どちらにしろ、うちに葬儀をやり直したいなんて言いにはこない。そんなことをしたって、一文にもならない」

「それじゃ、やっぱり愛してたんすかね」

「まあ、そうなんだろうな」と私は頷いた。

「それなら、やってあげてもよかったんじゃないっすか。仏さんだって、それを望んでたって言うし」

リビング・ウィル。ふとそんな言葉が頭に浮かんだ。

自分の死に際して実施される治療について、患者が判断能力のあるうちに文書化したものをそう呼ぶという。それを知ったのは中学のときだ。

「このときのウィルってのは、意思のことなんだぞ。知ってたか？」

英語の宿題に頭を抱えていた私に向かって、得意そうに教えてくれたのは父だった。

「そのウィルが未来を表すってことは、だから、あれだ。未来ってのは、いつだって意思と一緒にあるってことだな」

お、オレ、今、いいこと言った。なあ、いいこと言ったよな。

うっさいな、邪魔しないでよ、と消しゴムを投げつけながら、死にまつわる言葉として、それはあまりに明るい語感に思えて、変に耳に残った。

リビング・ウィル。

それはもっぱら延命治療に関する話ではあるが、もしも故人の意思がはっきりしているのなら、それに沿いたいと願うのは遺《のこ》されたものの自然な心情だろう。けれど、だからといって、そのために誰かを傷つけてもいいということにはならない。

「愛情だけならな、やってもいいって、だからそう言ったろ？」と私は桑田に言った。

「そうでした？」

「あの人は、故人を愛していたのかもしれない。でも、それは奥さんだって一緒だ。前の葬儀をないがしろにしないやり方なら、私だってやってもよかった。でも、あの人はそれじゃ満足しなかった。奥さんの愛情を否定して、自分の愛情だけを認めて欲しかった。それには乗れない」

「ああ、なるほど」と桑田は頷いた。「でも、演歌的には、そっちっすけどね。女の情念はやっぱべたべたどろどろしてくんなきゃ」

「あのなあ、桑田」

きょとんとこちらを見返した桑田に何かを言う気も失《う》せた。

「ああ、もうしまっていいぞ」と私は言った。

「あ、そうっすか」

桑田は手早くデスクを片付けると、私と竹井に言った。

「それじゃ、お先です」

出て行くまでに一分もかからなかった。

「あれ、どう思う?」と桑田が出て行った戸を眺めながら私は竹井に聞いた。

「慣れれば、何とか」と竹井は言った。「ああ見えて意外に真面目《まじめ》ですし」

「そう」と私は頷き、竹井に視線を移した。「受けたほうがよかったのかな」

「いいえ。あれでよかったと思いますよ」

「でも、二百万、三百万には、ちょっとね、ぐらっときた」

「そりゃ、きてもらわなくちゃ困ります。社長なんですから」と竹井は言った。「でも、あんな仕事を受けてもらっても困ります。社長なんですから」

竹井はいつも淡々とものを言う。それが冗談なのか、本気なのか、長く一緒にいる私ですらときに測りかねる。

「社長は船長みたいなものです。船の行く先を決めなくちゃならない。うちの船はその方向へはいかない。そう決めたのなら、どうあってもそれを守ってもらわなければ、先々が立ち行きません。あっちにふらふら、こっちにふらふらじゃ、どうにもね。乗っている私たちも据わりが悪い。職業倫理。社長がそう決めたのなら、それでいいじゃないですか」

「そんなかっこをつけているうちに、船が沈んじまうかもしれない」

「いいんですよ。そういうときは沈めれば」

「船員たちはどうする？」

「船員たちは逃げ出しますよ。ねずみと一緒にすたこらとね。だから、船長は心置きなく、船と一緒に沈めばいい」

「逃げない船員だっているかもしれない」と私は竹井に言った。

「大丈夫ですよ」と竹井は笑いもせずに応じた。「逃げない船員は、きっと泳ぎが達者なやつですから」

両親が事故で死んだのは、私が高校を卒業する間際だった。私は両親が遺したこの店で、両親の葬儀を取り仕切った。いや、実際に取り仕切ったのは竹井だ。私はただそこにいただけだ。喪主とも葬儀屋ともつかない立場で、ただ滞りなく進んでいく式の成り行きを呆然《ぼうぜん》と眺めていただけだ。それ以来、何となく店を継ぐ流れになった。そのころにいた従業員たちは、しばらくは店に残ってくれていたものの、やがて一人二人と欠けていき、六年前からは竹井だけになっていた。いっそ私が継ぐのと同時にいっせいに辞めてくれていたのなら、少しは諦めもついた。彼らが見限ったのは、船なのか、船長なのか。お世話になりましたと頭を下げる彼らを、私は奥歯を嚙《か》み締めて見送るしかなかった。それでも船が沈まなかったのは、この竹井がいたからだ。古ぼけた商店街の中にあるちっぽけな店だ。竹井がいなければ、とうに海の藻屑《もくず》となっていただろう。

「だから船長」

竹井の言葉が淡々と続いていた。

「沈めるときまで置いてください」

「沈ませないよ」

私はわざとぶっきらぼうに応じた。

「沈めたっていいんですよ」

竹井の声は相変わらず淡々としていた。

「沈めたっていいんです。どんな船にも寿命はあります」

いつだってそうだった。葬儀屋の一人娘とはいえ、葬儀のことなどまったくわからない私に竹井はすべてを教えてくれた。けれど、そこに情熱はなかった。やめたければ、いつだってやめればいい。竹井はいつもそんな態度を取った。実際、そう口にもした。挑発して私の奮起を促していたわけでは、きっとない。竹井は本当にやめてもいいと思っていた。やめたほうがいいとすら思っていた。私にはそれがわかっていた。それでも私はやめられなかった。そんな私を竹井がなじるようなことは一度だってなかった。

「お前もそろそろしまっていいぞ」と私は言った。

「ええ」と竹井はデスクの整理を始めた。

やがて家に帰っていった竹井と入れ違うように、カンダ文具店のおかみさんがやってきた。

「だらだらとよく降るわねえ」

空に文句を言いながら片手で器用に傘を畳んだ彼女は、振り返り様、私に、ねえ、と同意を求めた。

「そうですね」と私は言った。

商店街で『カンダ文具店のおかみさん』は、幼いころの私にとっては神田くんちのおばちゃんで、今の私にとっては神田のお母さんだ。

「これ、頼まれてたFAX用紙ね」

「ああ、いつもすみません」

店の古い型のFAXに合う感熱紙は、量販店でも店頭では取り扱っていない。いつもカンダ文具店に取り寄せを頼んでいた。

「他にいるものはない？ コピー用紙とか」

くるっと店を見回した神田のお母さんがそれに目を留めて、「ああ、まだあるわね」と呟いたのと、「それじゃお願いします」と私が言ったのが同時だった。

「え？」

聞き返した神田のお母さんは、私を見て、ふっと可愛《かわい》らしく笑った。

「気を遣わなくていいわよ」

「ああ、いえ、そういうつもりでは」

「うちもお客さん、少ないからねえ。この前、お客がきたのなんて、いつだったかしら」

そう笑った神田のお母さんは、今度は悪戯《いたずら》っぽくくるりと目を回した。

「どうせ気を遣うなら、お茶でも頼んじゃおうかな」

「あ、はい」

ソファーを勧めて、私はお茶を淹れに流しに立った。背後から声がかかった。

「うちの迷子から、最近、連絡あった？」

「先月に一度、電話がありました」

「そう。こっちにはかけてきもしない。たまあに、無愛想なメールが入ってくるだけ」

「電話するように言ったんですけど」

私は湯飲みを持って、ソファーに戻った。正面に座った私に、神田のお母さんはちょこんと首を傾《かし》げてみせた。

「ねえ、リノちゃんって、いつからそんな風に話すようになったっけ?」

「はい?」

「以前は、もっと偉そうだったわよ」

「そう、でしたか?」

「そうでした」

神田のお母さんは言って、また笑った。よく笑う人だった。その笑顔は時折、私に母のことを思い出させる。母もよく笑う人だった。思い出す母の顔はいつだって笑っている。

「昔みたいでいいのよ。偉そうなリノちゃん、可愛くて、私は好きよ」

「はあ」

そう言われて急に態度を変えるわけにもいかず、私は曖昧に頷いた。

「ねえ、リノちゃん」

幼いころ、私は下の名前で呼ばれることを嫌った。変に子供扱いされているようで癪《しゃく》だったからだ。モリノの下を取って、リノ。父と母がいたころ、私は近所でそう呼ばれていた。今、私をそう呼ぶ人は、神田のお母さんくらいだ。葬儀屋。今ではそれが商店街での私の通り名だ。

「リノちゃんは、うちの迷子のこと、何かわかる？」

ふう、ふうとお茶に息を吹きかけながら、神田のお母さんが言った。

「私にはてんで理解できなくて。まったくアメリカなんてねえ。何かふらふらしてたけど、どうにか就職して、ようやく落ち着いたかと思ったその途端でしょ。もう何を考えてるんだか、さっぱりわからなくて。この春には帰ってくるかなあなんて、期待してもいたんだけど」

「ああ、ええ。たぶん、何か」と私は言葉を濁した。「何か思うところがあるんでしょう」

「思うところねえ」

神田のお母さんが、自分の息子と私との関係に気づいているのか、いないのか、あるいはうすうすくらいは察しているのか、私にはわからない。わからないから、彼女の前で、私はただ、私らしくなくもじもじしてしまう。

「まったく、どこで間違えたのかしら。元気な男の子に育ってくれればそれでよかったのに」

もし神田と幼馴染《おさななじみ》でなかったら。

それきり話題を変えた神田のお母さんに相槌《あいづち》を打ちながら、私はそんなことを考えた。神田がどう育てられたのかも知らず、神田がどう愛されてきたのかも知らず、神田がその愛情にどう応えてきたのかも知らなかったとしたら。

私はただそこにいる神田に、ただここにある私自身を預けられたのではないだろうか。その思考に自分で嫌気が差し、私はお茶をごくりと一口、飲み込んだ。熱い塊が喉を流れ落ちた。どうやら当分、私は神田のお母さんの前で以前のように振舞えそうにはなかった。


悪い話ではない。みんながそう思っている。それでもまとまらない話というものはあるものだ。

「それじゃ、次回は七月の、ええと、二十日にしましょうかね。そのときまでに皆さん、また考えてみてください。友引ですが、お仕事が入られた方は、委任状をお忘れなく」

二時間もかけながら、結局、結論らしきものが何一つ出なかった会合に、私は半ば呆《あき》れながら立ち上がり、固まってしまった腰をほぐそうと一つ伸びをした。

首都圏に店を構える零細業者が集まり、お金を出し合って協会を作る。窓口を作り、料金を統一し、大手に対抗する。そのための会合だった。葬儀が重なってしまい、本来ならば断らなくてはいけないときでも、人手を融通し合えば受けることができる。スケールメリットを生かせば、様々な仕入れも安く抑えられる。どの店にとっても悪い話ではないはずだった。けれど、二ヶ月前にもたれた会合から話が進むことはなかった。それぞれの店には、それぞれの事情がある。懐具合も違うし、今まで取引してきた相手との関係もある。それもわからないではなかった。

「参りましたね」

思いっ切り伸びをしていたその途中に声をかけられ、私は両手を上に掲げたまま隣の席を見た。千葉にある葬儀店の社長が、うんざりしたように私を見上げていた。前田《まえだ》さんという。何度か重ねられた会合で、幾度か言葉を交わしたことがあった。

「どこかで妥協しなきゃ、進む話も進まないってのに」

「皆さん、色々、事情もありますしね」

最後まで伸び切って、一つ首を回してから、私は言った。

「自分の代でやめるつもりの方も多いようですし、そうなれば、ここで妥協するより、このまま騙《だま》し騙しやっていこうっていう人も、それはいらっしゃるんでしょう」

「さばけてますねえ」と前田さんは言った。「まだお若いのに、森野さんは本当にさばけてる。葬儀屋はそうでなくっちゃいけません」

「もう二十九ですよ」と私は言った。

「この業界ではまだまだ若いですよ」

帰り支度を始めた同業者たちを見回して、私は苦笑した。知らない人が見れば、老人会の集まりだと思うだろう。大手の葬儀社と違って、個人でやっている葬儀店は後継者不足に悩んでいる。いや、悩んでいるという言い方も正しくないのかもしれない。特殊な稼業だ。継いでもらいたいというのも本音なら、継がせたくないというのも本音のようだ。

「そういえば、今日は、息子さんは？」

前田さんは、葬儀屋よりは株屋か銀行屋が似合いそうな息子をいつもは連れてきていた。まだ大学生だというが、来年、大学を卒業したらすぐに店を継がせると聞いていた。

「ああ、あの馬鹿息子ね」

私の問いかけに前田さんは顔をしかめた。

「蹴飛ばしてやりました。ついこの前ですよ。あの馬鹿息子、何て言ったと思います？安定産業だって、そう言いやがったんですよ、あの馬鹿。いつだって需要がある。不景気にも強いだろうって、そんな馬鹿を抜かしやがるから、てめえなんかに継がせるかって、蹴飛ばしてやったんです」

「安定産業ですか」と私は言った。

「笑っちまうでしょう？　何が産業ですか。うちらは、こう、心から仏様に手を合わせて、皆様にもそうしてもらって、それまで頑張ってこられた仏様を静かにお見送りして、それで御代を頂戴しているんですよ。それが、安定産業？　需要がある？　不景気に強い？　その言い草は何だってんで、けつっぺたをね、思いっきり蹴飛ばしてやりました。心のねえやつには、どんな仕事だって務まりません。ましてや、葬儀屋ですよ。心を置いて、何をするんだか。まったく、近頃の大学ってのは、学生に何を教えてるんですかね」

前田さんの憤りの中には、きっと自分に対する忸怩《じくじ》たる思いもある。私にはわかった。それは仕事ではあるが、産業ではない。そう思わなければ、葬儀の現場になど行けない。葬儀にかかる値段のその基準をいつ誰が決めたのか、私は知らない。知らないが、他の産業と比べたとき、その利益率はとんでもないパーセンテージになる。五〇程度で済んでいれば、まだマシなほうだ。六〇、七〇だって珍しくはない。通常規模の葬儀ならば、月に一度入るだけで、小さな店はやっていける。うちの店は業界基準に照らし合わせれば、かなり良心的な値段でやっているほうだとは思う。それでも他の業界とでは、その利益率は比べ物にならない。逆に言えば、だからこそ、うちのような小さな店でも何とかやっていけるのだ。そのとんでもない利益率を理屈で埋めようと思えば、私たちはそこに『心』を持ち出すしかない。

「でも、勿体《もったい》ないですね」と私は言った。「優秀な息子さんなのに」

彼はたぶん、この業界のその欺瞞《ぎまん》めいた屁理屈《へりくつ》を見抜いているのだろう。けれど、だからといってどうすればいいのか。葬儀をシステム化し、より多くの顧客に同じ葬儀を提供して薄利多売を狙うのも、やはりどこかおかしい気がする。欺瞞と言われれば欺瞞だ。仕事であって産業ではないなどと、そんなものは言葉遊びだと言われればそれまでだ。そんなことは百も承知で、それでも私はやっぱりその理屈を押し通し、前田さんと同じように『心』を持ち出す。どんなにシステマティックにしたところで、やはり葬儀屋の拠《よ》って立つ場所はそこにしかないような気がする。

「大学出たら、よそで働かせますよ。世間様にもうちょっと鍛えてもらって、それで少しでもまともな人間になりゃ、継がせねえことはないですけどね。あれじゃまだ、とてもとても。恥ずかしくって、仏様の前になんて出せやしません」

駅までの道をぶらぶらと歩きながら、前田さんは今後の店の展開について、相談とも自慢ともつかない話をしていた。継ぐつもりの息子がいる。だからこそできる話だった。別れ際、それが少し得意そうな色を宿していることに気づいたのだろう。前田さんは少し照れたように言った。

「まあ、あの馬鹿息子がどうにかならないことには、しょうがない話ですけどね。うちにも森野さんみたいな跡継ぎがいればねえ。いや、親御さんは喜んでいると思いますよ。

立派に店を切り盛りされて」

私は曖昧に笑い返し、前田さんと別れた。

そうなのだろうか？

周囲に人のいないドアを選んでその脇に立ち、帰りの電車に一人揺られながら、私は考えた。

父や母は喜んでいるだろうか？　こんな今の私を、喜んでくれているだろうか？

お父さん、お母さん。

目を閉じて、私は幾度となく繰り返した問いかけをまた胸の中で呟いてみる。

私はいい娘でしたか？

今の私はいい娘ですか？

答えのない暗闇に耐えられず、私は目を開けた。電車が短い鉄橋を渡った。河原を過ぎ、土手を越え、建ち並ぶ家々が私の目の前を通り過ぎていった。

強いね。誰もがそう言った。自分の店で葬儀をする。私がそう決めたときだ。私は強いと。

違う。強くなんてなかった。私はただ、両親の体を誰にも渡したくなかっただけだ。できることなら、幼いころのように三人で川の字に眠ったまま、私も二人と一緒に灰になりたかった。私を支配した感情より強い何か。それだって所詮は脳が作り出した電気信号に過ぎない。どんなに強くても、所詮は電気信号だ。灰ならば、この電気信号は通らないだろう。ざまあみろ。消えて行く電気信号を嘲《あざけ》りながら、灰になれたらどんなにいいだろう。私はそう願った。

いいや。あのとき、神田が隣にいてくれなければ、私は本当に灰になっていたのかもしれない。生きたまま、灰になっていたのかもしれない。

「今、駅前でもらってきた」

学校帰り、制服を着たまま神田は店にぽつんと一人座っていた私の前にやってきた。両親の葬儀が終わり、私は一週間、学校を休んでいた。差し出されたポケットティッシュの意味がわからず、私は呆然と神田の顔を見返した。

「足りる？」

困ったように小さく微笑《ほほえ》んだ神田の顔に怒りが爆発した。

足りるわけないだろ。

言葉にならないくらいの怒りが、私の感情をオンにした。途端、言葉にならないくらいの怒りを押しのけて、もっと大きな感情が私の体から溢《あふ》れ出た。それが何なのかもわからなかった。何なのかもわからないまま、私の体はその感情に抗《あらが》えなかった。私は吼《ほ》えるように泣き出していた。

「ああ、大丈夫？」

神田がおろおろとティッシュを一枚差し出した。

「駄目。もう駄目」

神田の手を押しのけて、私はうずくまった。駄目なのかどうかはわからなかった。ただ、もう駄目ということにしておいて欲しかった。いつか私はここから立ち直れるのかもしれない。けれど、それはいつかであって、今ではない。絶対に今ではない。

「もう駄目だから。お願い。放っておいて」

「ああ、うん」

あのとき、私はどれだけ泣いていただろう。一時間。もっとだっただろうか。涙と鼻水で顔がぐしゃぐしゃになるのも構わず、私は泣き続けた。膝をつき、頭を抱えて泣き続けた。泣くことにも疲れ果て、両手をぺたんとついたとき、私の前にティッシュが一枚、差し出された。目を上げると、そこにはさっきと同じ顔をした神田がいた。

「まだいたのか」

「ああ、うん」

ティッシュで鼻をかんで、私は丸めたティッシュを神田に投げつけた。また差し出された。また鼻をかんで、投げつけてやった。また差し出された。そのティッシュで、私は涙を拭いた。涙を拭いて、立ち上がった。その日、私にできたのはそれだけだった。

それでも私が私であれたのは、その日があったからだと思う。

たまには自分から電話をしてみようか。

電車を降り、いつもの商店街を歩きながら、私は思った。電話番号は、もちろん知っていた。国際電話のかけ方だって調べてあった。それでも、私からは一度も電話をしたことがなかった。今頃になって、あの日の礼を言ったら、あいつは何て答えるだろう。けれど、そんな電話を自分がしないだろうこともわかっていた。受話器を取り、時差やら神田の都合やらを理由に、私はきっとそのまま受話器を置く。神田から投げられたボールを、私はまだ投げ返す覚悟がない。その覚悟もないまま、電話なんてできない。

シャッター通りにまではなっていないが、どこの店も開店休業に等しい状態であることは知っていた。近くに巨大なショッピングモールができたわけでもないし、近隣住人が激減しているわけでもない。それなのに、商店街は年々、活気を失っている。その様は老いた木が朽《く》ちていくようだった。土には十分な養分があり、周りにその養分を吸い取る若木があるわけでもなく、それでも木はひっそりと朽ちていく。そこで暮らす私は、ときに自分自身が静かに水分を失っていくような錯覚にとらわれる。その錯覚は私を焦らせる前に安らがせる。年のせいか。最近、お肌も衰え気味だし。そう一人で笑いながら、その錯覚に身をゆだねている私がいる。

ふと、歩道に赤いポケットタオルが落ちているのを見つけ、私はそれを拾い上げた。私も見知った兎《うさぎ》のキャラクターが描かれていた。まだ小さな女の子のカバンからこぼれ落ちたのだろうか。それとも、ベビーカーに引っ掛けられていたものが落ちたのか。パンパンと二度払ってから、私はそれを歩道の脇のガードレールにかけた。落ちている些《さ》細《さい》なものを見逃せない。それは母から受け継いだ習性だった。

中学二年だっただろうか、三年だったろうか。冬の日曜日だった。私は母とともに駅前を歩いていた。そのときの話題が何だったか覚えていない。歩きながら話をしていた私は、ふと横を歩く母の関心がその話題にないことに気づいた。

「どうしたの？」

私が聞くと、母は足を止め、ああ、ちょっとごめんね、と言って、今きた道を戻り始めた。何事かとついていくと、母は道に落ちていた手袋を拾い上げた。払えるだけの汚れを丁寧に手で払い、くるっと周りを見回すと、街路樹を囲む鉄の柵にその手袋を引っ掛けた。

さっき落ちたものには見えなかった。昨日か、一昨日か、もっと前か。汚れ具合からするなら、仮に持ち主が見つけたところで、持ち帰るかどうかわからなかった。

「これでよし」

それでも満足そうに笑う母に、私は半ば呆れながら笑い返した。そういう母だった。

ご主人様に会えるといいな。

私は赤いタオルの中の兎に言って、また商店街を歩き出した。乾物屋の前まできて、自分の店の前に人がいるのを見つけた。二十四時間、年中無休。葬儀屋の鉄則だが、私と竹井と桑田しかいない店では、それもままならない。私は小走りに店の前へ行き、女性に声をかけた。

「何か?」

振り返った女性に、私は姿勢を正した。

「ああ。立花さん。先だっては、失礼いたしました」

立花慎三氏の奥さんだった。

通常、葬儀の依頼は電話でなされ、葬儀が終わり、お金のやり取りが済めば、それきりになる。たまに礼状が届くことはあるものの、依頼者が店を訪ねてくることなど、まずない。先週、雨の中を訪ねてきた女、牧瀬裕子の顔が浮かんだ。

「どうかなさいましたか?」

「ああ、はあ。ちょっと」

言葉を濁した奥さんを取り敢《あ》えず店に招き入れ、ソファーを勧めると、自分はお茶を淹れてから、その向かいに腰を下ろした。

改めて用件を問いただした私に、奥さんは少し複雑な表情を見せた。

「それが、どういうことだか、私どもにもさっぱりわからなくて」

奥さんは戸惑いに表情を曇らせながらも喋《しやべ》り出した。

「先日、主人の親類から電話がありまして」

故人、立花慎三氏の従兄《いとこ》に当たる人だという。比較的家が近いこともあり、立花家とは折に触れ行き来があった。

美佐枝《みさえ》さん。葬儀をやり直すって、こりゃいったいどういうことだ？

戸惑う奥さんにその親類は説明した。自分のもとに、先日の葬儀に手抜かりがあったため、葬儀をやり直すという旨の葉書が届いた。差出人は知らない名前だし、地方に住んでいる親類も多い。もう一度出かけてくるよう声をかけるべきなのか、困っている。そもそもそれについて、故人の家族から連絡がないとはどういうことなのか。その人は疑問半分不満半分といった様子で奥さんに連絡を取ってきたらしい。

親族としては一番親しい人だし、故人が倒れたときもいち早く病院に駆けつけてくれた人だ。奥さんは丁寧に詫《わ》びを言い、自分もあずかり知らない話だと説明し、すぐにどういうことかを調べてみると約束した。

奥さんの説明を聞きながら、牧瀬裕子の顔を思い浮かべた。

やられた。

すぐにもう一つの思いが交差した。

ここまでやるか。

立花慎三氏の妻を喪主とは認められない。認めたくない。その思いはそれでいい。そのために葬儀をやり直したいというその気持ちもわからなくはない。けれど、だったら、その思いを遂げられるような式を一人ですればいい。その思いをわかってくれる誰かとともに式をするのなら、それも構わない。けれど、一度、葬儀を終え、すでにその悲しみに区切りをつけた人間まで巻き込むことはない。

私は唇を噛んだ。

「本当に何か手抜かりがあったんでしょうか？　私どもにはわかりませんでしたが、でしたら正直にそう言っていただいたほうが……」

「ああ、いえ、すみません」と私は奥さんの言葉を遮った。「葬儀に手抜かりはありませんでした。言い訳ではなく、こちらにも心当たりはまったくありません」

すでに終えた式に手抜かりがあった。そう思えば、その思いはいつまでも澱《おり》のように遺族の心に沈み込むだろう。

「もしお望みであるのならば、葬祭ディレクターなどの資格を持つ、別の葬儀社の人間をご紹介いたしますし、こちらから紹介する人間では心もとないということであるのならば、どなたでも構いません。先日の葬儀の様子をお話しになって、どこかに手抜かりがないか確認していただいても結構です。ただ私どもといたしましては、先日の葬儀に手抜かりはなかったと確信いたしております」

「はあ、しかし、それでは、その葉書は、そちらでお出しになったものではない？」

「まさか」と私は思わず言った。「そんなことはいたしておりません。万一、そんなことがありましたら、それは真っ先に喪主様にご挨拶にうかがいます」

「それはそうですわよねえ」

「差出人は、うちになっているんですか？」

「いえ。牧瀬裕子という名前らしいんですが、こちらには一向に心当たりのない名前ですし、それでてっきり先日の葬儀屋さんのどなたかの名前かと」

奥さんは、牧瀬裕子の名前を知らない。愛人には気づいていたがその名前までは知らないということなのか、あるいは愛人の存在そのものを知らないのか。私は一瞬、迷った。

「その件、こちらにお任せいただけないでしょうか。どういうことなのか、先方に話を聞いて参ります。おそらくは何かの間違いだろうと思うのですが」

どちらかはわからないが、今、奥さんとあの女を会わせることが、二人にとっていいことだとは思えなかった。それに、もし愛人の存在そのものに喪主が気づいていなかったとするのならば、そのまま知らずに済むのに越したことはない。毅然《きぜん》と参列者に応対しながら、一人になれる場所では大粒の涙を落とし、葬儀の最後には透明な笑顔を浮かべた喪主のその思いを、今更かき乱す権利は誰にもないはずだ。あってたまるか。

「でしたら、そうしていただきましょうかしら。こちらにはまったく何が何だか」

本当に見当もつかなくて。

ため息のように奥さんはこぼした。

故人の従兄に当たるというその親類の連絡先を聞いて、私は奥さんを送り出した。

故人の従兄に連絡がついたのは、翌日の朝だった。幸い彼の家には、ＦＡＸがあり、その葉書の両面を送ってくれた。

「何です？」

受け取ったＦＡＸを睨んでいた私に桑田が声をかけてきた。

「あ、それ、牧瀬裕子って」

「ああ、この前の女」

肩越しに覗《のぞ》き込んでいた桑田に、私はＦＡＸを手渡した。一瞥《いちべつ》した桑田が、うひゃあと言って竹井にその紙を回す。

「演歌っすねえ」

「そうだな。お前のお望み通り、演歌だな」

「女の情念すね」

それに怨念《おんねん》すねえ、さらに執念すねえ、しかも入念すねえ、とはしゃいだ桑田を無視して、竹井が言った。

「どうするんです？」

「仕方ないよ。相手の、その住所へ行って、何とか話をつけてくる」

葉書には、やり直す葬儀の日取りと場所とが記され、その表には牧瀬裕子の名前とご丁寧に住所までが記されていた。文句があるなら言いにこい。居直りとも取れる牧瀬裕子の思いが感じられた。

「社長の責任ではないですよ」と竹井は言った。「あの話を受けていればこうはならなかった。そうかもしれませんが、それは社長の責任ではないです。筋が違います」

それはそうだ。けれど、それは一般論としての筋であって、私の筋ではない。

「責任とか筋とかの問題じゃないよ」と私は言った。

「そりゃ違いますよ」と桑田も言った。「演歌っすから」

「ほら、行くぞ」

私は桑田に声をかけて、上着を羽織った。

「え？」と言って、桑田が自分を指差した。

「演歌だろ？　得意分野だろ？　頼りにしてるぞ」

「ああ、いや、得意分野って、それは歌の話で、実践は、ちょっと」

ごにょごにょ言い出した桑田の襟首をつかんで、私は店を出た。

葉書に記された牧瀬裕子の住所は、店から電車で十分ほどの場所にあった。そう思って路線図を見てみれば、立花慎三氏の家から二駅しか離れていない。家からさほど遠くもなく、かといって家族と行き会うほど近所でもない場所として、立花氏は女をここに囲ったということか。

「何か中途半端っすね」

住所に記された場所にあったのは、軽量鉄骨と思《おぼ》しき白い三階建てのアパートだった。単身者用のワンルームだろう。

「もうちょっといいマンションを思ってたんですけど」と桑田は言って、首をひねった。「ああ、でも、もっとぼろいほうが演歌にはなるかな。マンションだとちょっと昭和歌謡っぽいっすよね」

にしても、これは中途半端だよな、などとぶつぶつ文句を言っている桑田を促し、私は二階までの階段を上がった。外廊下を歩き、四軒並ぶうちの奥から二番目が葉書の住所だった。表札はなかった。私はチャイムを押した。耳をすましたが、中からチャイムの音は聞こえてこなかった。私はもう一度チャイムを押した。やはり音がしている様子はない。中で人が動くような気配もなかった。

「留守っすかね」

私はドアの脇にある電気メーターを睨んだ。それから逆の脇のすりガラスの小窓に額を押しつけ、中の様子をうかがった。明るい光が向こうに見えているのは、カーテンが引かれていないということか。その光の中に部屋の家具のシルエットが浮かび上がることもなかった。

「留守っていうか」

桑田が私の隣で、私の真似をした。

「あ、空き家っすか？」

「みたいに見えるな。メーターも回ってないし」

何やってんだ？

不意に声をかけられ、私と桑田は窓からおでこを離した。咎《とが》めるというよりは、ただ不審に思っただけのようだ。大学生ほどのひょろりとした男が私たちを見ていた。

「あ、あの、この部屋」

「誰もいないよ」

言いながら彼は私たちの脇を通り、一番奥の部屋のドアの前に立った。そこの住人らしい。ポケットを探り、鍵を取り出す。

「牧瀬裕子さんは？」

「ああ。そんな名前だったっけな。三十半ばのおばちゃんだろ？」

「ああ、ええ」

彼は鍵を回し、またポケットに鍵をしまった。

も私は尋ねた。

「あの、今はどちらにいるか、ご存知ないですかね？」

単身者のアパートだ。隣人の引っ越し先など知りはしないだろう。そうは思いながら
「もういないよ」

「だから、もういないって」

彼はわずかに迷惑そうに私たちを見て言い、ドアを開けた。

「だから、今は……」

彼は天を指した。上の階という意味かと、私は釣られて上を見た。

「死んだんだよ」

死んだ？

私は視線を戻した。部屋に入りながら彼が言った。

「一ヶ月くらい前にその部屋で手首を切って死んだって聞いたよ」

一ヶ月前？

私の視線の先でドアがパタンと閉じた。私と桑田は顔を見合わせた。

アパートの壁に『入居者募集』の看板があり、管理する不動産会社の電話番号が記されていた。携帯で電話してみると、応対に出た社員は迷惑そうにそれを認めた。牧瀬裕子は一ヶ月ほど前に自殺していた。

携帯を閉じて、そう告げた私に、桑田が気味悪そうに聞き返した。

「だって、うちにきたの先週ですよ。じゃ、あれ、誰です？」

「情念なんだろ？　怨念なんだろ？　執念なんだろ？」と私は言った。「着てはもらえぬセーターを寒さこらえて編んでますときたもんだ。喜べ。お前の愛するド演歌だ」

「これ、もう、演歌じゃないっすよ。怪談っすよ」

「じゃ、任せとけ」と私は言った。「それなら私の得意分野だ」


そう言ってはみたものの、差し当たってどう考えていいかもわからなかった。何か知っているかと和尚《おしよう》を訪ねてみたが、特に不審な点は思い当たらないとの答えだった。

「会社を退職されてからは、ご家族を大事にされて、趣味といえば囲碁くらいの、温厚なご老人だったと聞きましたがねえ」

愛人とは、また、人はわからぬものですな。

そう言った和尚の合掌が誰に向けたものなのかは知らないが、感想そのものは、桑田のそれとさして変わらない。

葉書に記された葬儀会場に電話してみると、確かに一度、予約を受けたが、その後、相手との連絡が取れなくなり、キャンセル扱いになっているとのことだった。その予約がされたのは、牧瀬裕子と名乗る女性がうちの店を訪ねた翌日だった。

「放っておけばいいんじゃないですか？」

電話を置いた私に竹井が言った。

「ご遺族には、ただの悪戯だったと報告すれば、それで済む話だと思いますが」

「そうですよ。放っておきましょう」と桑田が言った。

「それで済むかもしれない」と私は言った。「でも済まないかもしれない」

「済まないですかね」と竹井が言った。

「あの女が、どこの誰かは知らないけど、これは要するに嫌がらせだろ？　気が済むまで続けるだろうし、あの女の気がどこで済むのかもわからない。ここまでやったんだ。次があるなら、次は何をやるかわかったもんじゃない」

「はあ、でも」と竹井は言った。「あの女は何なんでしょう？」

「何って、だから、故人の愛人だろ？」

「本当にそうなんでしょうか？　それだって、本人がそう言っただけで何の証拠もないですよ。それが嘘《うそ》だったら？」

私はしばらく考えた。

「いや、でも、嘘だったら、逆に、何でここまでやるんだ？」

「さあ、それはわかりませんが」

「ああ、やめましょうよ」と桑田が言った。「あれは、頭のおかしい女。ね？　それ以外の何者でもなく、もちろん幽霊でもない。それでいいじゃないっすか。放っておきましょう。今度、何かあったら、警察に相談してもらいましょう」

私はまたしばらく考えた。無責任にも思えるが、現実問題として、他に私ができることもなかった。

電話が鳴り、私は考えにふけったまま反射的に受話器を取った。

「やあ」

その声に電話機を見た。ヒョウジケンガイの文字が浮かんでいた。

「ああ」と私は言った。

その声で察したらしい。竹井が立ち上がった。

「桑田くん、ちょっと外出ようか」

「え？　外？」

「うん。営業。あっちのほうでね、誰かが死にそうな気配があるんだよね」

「ええ？　そんなのまでわかるんすか？」

「うん。君も長くやってればわかるようになるよ。きっと素質がある」

「ありますかね」

「あるよ。だって演歌だろう？」

「いやあ、そりゃ演歌っすけど」

わけのわからない褒め方をした竹井とわけのわからない照れ方をした桑田とが連れ立って店を出て行った。私から喋ったことはない。けれど、これだけ顔をつき合わせているのだ。竹井は私と神田との関係を理解していた。

「あ、今、大丈夫だった？」と神田が言った。

「ああ、大丈夫。相変わらず暇」と私は言った。「暇は暇なんだけどな、変な話ばっかり持ち込まれる」

「また幽霊でも出た？」と神田は笑った。

「そう。実はその通り」

私も笑い、これまでのいきさつを一通り説明した。

「もう、何が何だかさっぱりわからないよ」

ぼやいた私に神田が考えながら言った。

「ちょっと整理してみようか」

「整理？　この話、整理できるのか？」

「大雑把《おおざっぱ》に言って可能性は三つある。一つ。店にきたその女、Aとしようか。Aは、本当に立花氏の愛人だった。けれど、名前を偽り、牧瀬裕子と名乗った。二つ。Aは立花氏の愛人ではなかったが、牧瀬裕子は立花氏の愛人だった。三つ。どちらも立花氏の愛人などではなかった」

「なるほど」と私は言った。

どんな話でも、整理してみようと思えば整理できるものだ。

ふと私は七年前のことを思い出した。当時、神田は大学の四年生。私が紹介した病院で清掃のアルバイトをしていた。いくつかの誤解と思惑が重なり、神田は死を間際にした患者たちの願い事を叶《かな》えて回るという立場に追い込まれた。概略は聞いたが、実際のところ神田がどんな思いでその役割を果たしていたのかはわからない。けれど、私が聞いた限りでは神田はその役割を十分に担っていたように思えた。その中には、探偵の真似事のような話もあった。そう考えれば、この手の話は神田が得意とするものかもしれない。

「一つ目の場合なら、話は比較的すっきりすると思う。偽ったのは名前だけ。心情的に本名を名乗りたくなかったと考えれば、わからないでもない。そうすると、あとはそこでどうして牧瀬裕子の名前が出てきたかだけの問題になるけど、それはどうとでも考えられる。たとえば、Aと牧瀬裕子とは友人だった。偽名を言うとき、Aの頭にすでに死んでいる友人が浮かんだ。すでに死んでいるから、その人に迷惑がかかることはない。そう考えて、Aは牧瀬裕子の名前を出した」

「なるほど」

私はまた言った。やっぱり結構な探偵ぶりだ。

「二つ目の場合だと、Aはおそらく牧瀬裕子の代弁者のつもりなんだろうね。牧瀬裕子は立花氏にもてあそばれて、自殺した。その復讐《ふくしゅう》のために、Aは牧瀬裕子の名前を騙《かた》った。この場合も、おそらくAと牧瀬裕子は友人か、それ以上に近しい人なんだと思う」

「三つ目の場合は？」

「そうなると、もうお手上げだね」

「ただの悪戯か」

「うん。ただねえ」

「何だ？」

「ただの悪戯にしては、ちょっとやり過ぎだと思う」

「まあ、なあ。ここまですることはないよな」

「うん。それもあるんだけど、悪戯メールとか、ピンポンダッシュとかとは違うだろう？　Aは森野に顔をさらしている。それって、ただの悪戯にしてはハードルが高い気がするんだよ。それだけのリスクをかけてもやりたかったってなると、それなりの動機があると思う」

「とすると、一つ目か二つ目ってことか？」

「うん。そうなんだけどね」

「何だよ」

「何か、ピントがずれてるんだよな」

「ピント？」

「うん。たとえば、一つ目の場合だったとするよね。自分が立花氏の愛人だった。その一方で、奥さんは愛人の存在に気づいていないか、仮に気づいていたとしても、ほとんど気に留めていない。それって、一番、腹が立つことだと思うんだ。葬儀をやり直す。そこまではわかる。嫌がらせとしては、結構、きつい。でも、それを葬儀屋に断られたら、今度は嘘の葬儀のお知らせを送るって、そこはちょっとわからない。そんな手の込んだことをするくらいなら、直接、奥さんのもとに乗り込んでいって、嫌味を言ってやるなり、罵倒するなりするのが普通じゃない？」

「まあ、うん。それはそうかもな」

「じゃ、二つ目の場合だとする。Ａは牧瀬裕子と親しかった。そうだとすると、遺族にここまで悪意が向くものかな？　愛人本人なら、奥さんに対して色んな思いがあり得るだろう。でも、第三者が故人にならともかく、そこまで奥さんに悪意を抱くかな？　直接、遺族のもとへ行って、かれこれこういう事情が実はあったんですって暴露するくらいがせいぜいじゃないかと思うんだよね」

「でも、まあ、それは理屈の話だから」

「まあ、そう言われればそうなんだけど、何だかやっていることと、それを支えているエネルギーのバランスが取れてないっていうか。十分に悪意は感じられるのに、その伝え方の効率が悪いっていうか」

ううん、と神田は唸《うな》った。

「何だかすべてがちぐはぐな気がする」

「頭のおかしい女が何を考えるかなんて、わかんないだろう?」

「頭のおかしいねえ」と神田は呟いた。「森野には、そう見えた?」

「え?」

「その人と話したとき、どこか普通じゃない気配があった?」

私はそのときを思い出した。感情的に高ぶっている感じはした。ややヒステリックなきらいもあった。けれど、それほど常軌を逸した人物には確かに見えなかった。交わした会話にも、それはそれなりの理が通ってはいた。

「まあ、確かに、それほど頭がおかしいようには思えなかったかな」

「何か違う理屈を当てはめれば、しっくりくるようにも思えるんだけどね。四角い穴に丸いボールを通そうとしているようなまどろっこしさがある」

結局、私の頭は電話がかかってくる前より混乱しただけだった。整理できない話というのは、やっぱりあるのだ。

「でも、そんなことがあるとなると、またしばらく休みは取れないかな」

微かに笑って、神田が言った。諦めているようにも取れた。私が否定するのを待っているようにも取れた。

「まあ、うん、どうかな」と私は曖昧に答えた。

話を変えたくて話題を考えてみた。眼鏡屋の勧めた見合い話が咄嗟《とっさ》に浮かび、けれどそんな話をすればもっと気まずくなるのは目に見えていた。佐伯杏奈の告白の話も思いついたが、その話だって何だか微妙なバランスの話題に思えた。

何も話題が浮かばなかった私を助けるように、神田が自分の近況をしばらく話した。今は、ハリウッドで売り出し中のプロデューサーが書いた成功体験記を翻訳しているという。

「嫌味も限度を超えると笑えるもんだね。げらげら笑いながら訳してるよ」

「楽しみだな。読んでみるよ」

一通りの近況報告が終わると、神田がいつもの別れの言葉を口にした。

「テイク、ケア」

私もいつもの言葉で応じた。

「サンキュウ」

結局、今回も私からしたのは死者の話だけだった。自己嫌悪とともに私は受話器を置いた。

竹井は気を遣ってしばらくは戻らないだろう。

私は両手を頭の後ろで組み、椅子の背もたれに体を預けた。古い振り子時計だけがこちこちと時を刻んでいた。私はその振り子をぼんやりと眺めた。単調に行き来する振り子が、いつしか時を逆に刻み始めた。

初恋。

今しがた電話を切った相手との会話をぼんやりと思い返しながら、私は考えた。

それを初恋と呼んだら、その当時の私は笑うだろうか。あんなものは初恋じゃないと怒り出すかもしれない。無理もない。その当時の私にとって、神田は男ではなかった。付き合った人は他にも二人いた。けれど、その二人は私にとって男だった。男であるがゆえに異物だった。私は受け入れようとした。けれど、受け入れられなかった。それはもちろん、相手のせいではない。私の欠陥だ。

私にとって神田は、男である以前に神田だった。お互いがオムツをしていたときから知っている幼馴染だった。幼馴染だって、もちろん異物だ。けれど、その異物は、そこにいることが当たり前だった。

恋、と、その照れ臭い言葉を舌の先で転がすとき、私の頭に浮かぶのは神田ではない。誰でもない。それはその時々に異性を理想化したイメージでしかない。けれど、この世界でたった一人だけ、どうしても幸せになって欲しい人。その人に向ける感情を愛と呼ぶのならば、私は神田を愛している。けれど、私が愛するその神田には、誰か別な人を愛していて欲しい。それは私じゃなくていい。私でないほうがいい。

歪んでいる。

わかっている。

けれど、もし、今、神田が誰か別の人を愛したのなら、私はたぶん、心からその愛情を祝福する。そして、枯れていく商店街の中で一人枯れていくこの先の時間に安らげるだろう。

一緒に暮らそう。

そう言われたとき、嬉《うれ》しかった。本当に嬉しかった。そして私はそれだけで満足した。それ以上はいらなかった。それ以上を求めて欲しくなかった。神田はそれを知っている。だから、私にそれ以上の無理強いをしない。ただじっと、私の気持ちが変わるのを待っていてくれる。

神田が日本にいた二年間。その記憶は、私にとってかけがえのない宝物であり、そしてとんでもなく重い荷物でもある。

ぎゅっときつく一度つぶってから目を開けると、時計はいつも通り、前へと時間を刻んでいた。

何度も電話をかけようとして、思い止まった。従業員を信用するのも社長の器量のうちだ。

手がかりらしきものは何もなく、駄目モトでもと思って、翌日、私は桑田を牧瀬裕子のアパートに再び向かわせた。目的はあの学生らしき隣人に話を聞いてくること。あのアパートまで行き、話を聞いて、帰ってくる。どんなに遅くとも昼前には戻るはずだった。それなのに昼を回り、三時を過ぎても桑田は戻らなかった。

さすがに遅過ぎる。

いい加減痺《しび》れを切らして、受話器を取り上げようとしたとき、その電話が鳴った。私は受話器を上げた。

「すっかり遅くなっちゃったね」

のんびりとそう言った相手が桑田なら私だって叱り飛ばしただろうが、相手は浅野さんだった。

「ああ、ええと、え?」と私は聞いた。

「え、って、ほら、この前の」

「ええと、この前の?」

「ああ、何だよ。もう忘れてるの? ほら、マミヤヒロシ」

誰です、それ、と言いかけてから、私は思い出した。間宮博史。佐伯杏奈の姉の実の父親。

「あ、ああ」と私は言った。「いえ、忘れてませんよ。ただ、ご連絡がなかったので、もう忘れられてるかなあと」

「ああ、ごめん、ごめん」と浅野さんは言った。「いや、ちょっと調べてたら時間がかかっちゃって」

「前《マエ》があったんですか」

「ああ、いや、違う。でも記録が残ってた」

「記録？」

「間宮博史って、こいつ、死んでるね」

「え？」

「二十三年も前に事故で死んでる」

「そうだったんですか」

少し引っかかったが、気のせいだろうとやり過ごした。それより、これを佐伯杏奈の姉に伝えるべきかどうか。そちらのほうが問題だ。

「これなら別にネタ元隠さなくていいや。詳しい話、する？」

「ああ、ええ。お願いします」

「事故があったのは、二十三年前の七月二十六日の深夜。細い夜道で、ダンプの運ちゃんが人を撥《は》ねたって一一〇番してきた。道端で寝ていた人に気づかなくて、轢《ひ》いちゃったって。ただ、その後、調べてみると、どうも撥ねたのは死体らしいってことになった」

「死体？」

「うん。道端に転がっていた死体に気づかずに、ダンプが撥ねたっていうか、まあ、引っ掛けちゃったんだね。マルガイはかなり酒を飲んでいたらしくて、酔っ払って倒れて、で、こう道端の排水溝の角にね、頭をぶつけて、それが死因だろうって話になってる」

「それが間宮博史？」

「そう。そうなんだけどねえ」

「何です？」

「いや、残っている調書は型通りのものなんだけど、そういうのにも感情ってあるわけ」

「感情？」

「ああ、何ていうのかな。書いた人間のその事件に対する心象みたいなもの。そういうのって、どうしても出るんだよね」

「はあ、ええ」

「何か、あんまりろくな男じゃなかったみたいだね。この間宮博史って。死んだ当時も無職だったらしいし、住所も不定。ヒモなのか何なのか、何人かの女の家を転々としてたらしい。そのくせ酒とギャンブルが大好きで、結構な額の借金があった。だから、調書もさ、何か、こう、同情的じゃないんだよね。運ちゃんが引っ掛けたのは、死体です。しかもろくでもないやつの死体です。だから、もういいでしょうって、そんな感じでさ。運ちゃんも起訴されてないね」

「ああ、そうでしたか」

さて、伝えるとして、佐伯杏奈の姉にどう伝えたものか。真実を知った幼い日の彼女にとって、実の父親は拠り所になれるような男ではなかった。それは彼女だって承知していたが、改めて伝えるには少し酷な気がした。

「もう少し知りたければ、人を紹介するよ。もう退職した人だけど、当時、その事件を担当した刑事課の人が、どうも俺の知り合いらしいから」

「刑事課ですか」

「うん」

「ああ、いえ」と私は少し考えてから言った。「そこまではいいです。もう死んでいるって、それがわかれば十分ですから」

「ああ、そう」

「ええ」

私は礼を言ってから電話を切った。

桑田がようやく戻ってきたのは、夕方近くになってからだった。

「どうも、本当に愛人だったみたいですね」

苛々《いらいら》と報告を促した私の前に立って桑田は言った。

「恰幅《かっぷく》のいいじじい様が、あ、じじい様ってのは、あの兄ちゃんがそう言ったんすよ。俺はちゃんと、じじい様じゃなく仏様だって訂正しておきましたよ」

「そうか。よくやった。それで？」

「ああ、そのじじい様が週に何度かきてたみたいです。聞きたくなくたって、壁が薄いから聞こえちゃうんだって言ってましたけど、本当は壁にコップでも当ててたのかもしれません」

「聞こえちゃうって？」

「あの、ほら、だから、ウフンとかアハンとか、その手の声」

「ああ」と私は言った。

とすると、牧瀬裕子が立花慎三氏の愛人だったということか。Aはその代理人ということになる。

「自殺したのは？　具体的にはいつだった？」

「三月の三十日だそうです。帰ってきたら、アパートの前に救急車が停《と》まっていたって」

「三月三十日？」

私は言って、竹井を見た。竹井が頷いた。

「確か、そうですね。立花氏が倒れたのが、その日です」

立花氏の脳溢血を知って、後追い心中？

「あ、いや」と私は言った。「でも、死んだのは」

「命日は六日です。四月六日の未明。意識が戻らず、そのまま亡くなられたはずです」

後追い心中にしては気が早過ぎる。順序が逆なのか？

「立花さんが倒れたのは、確か電車の中って言ってたか」

「ええ。そう聞きましたね。家まであと一駅っていうところだったと」

その日、立花氏は牧瀬裕子を訪ねた。男が帰ったあと、女は不意に二人の関係に虚《むな》しさを覚え、今しがた帰ったばかりの男の携帯に電話する。今から死にます。そして女は言葉通り手首を切った。救急車が呼ばれたというのなら、発見されたときにはまだ絶命していなかったということか。あてつけるつもりだった自殺は、皮肉なことに自らの死とともに男の死を呼び寄せていた。その電話で受けたショックで立花氏は脳溢血を起こし、七日後に死んだ。

そういうストーリーなのだろうか。

「牧瀬裕子はその日に死んだのか？」

「ああ、いえ、違います。死んだのは一週間後です」

「一週間後？」と私は聞き返した。

手首を切ったにしては、ずいぶん時間が開き過ぎている。

「これ、あの兄ちゃんが誤解してたんすけど、俺、この辺の病院を片っ端から調べたんですよ。そしたら、牧瀬裕子が担ぎ込まれたのは、春日総合病院でした」

「春日総合病院って」

その皮肉に私は絶句した。

「そうなんすよ。仏様が死んだ病院です」

考えてみれば、立花氏が倒れた場所と牧瀬裕子のアパートはさほど離れていない。近隣で緊急性の高い患者を受け入れられる病院は限られている。皮肉というよりは、むしろ必然というべきだろう。

「担ぎ込まれて一週間後に牧瀬裕子は退院してるんですよ、元気に。そのあとカウンセリングを受ける予定になっていたんですけど、退院したその日に、牧瀬裕子は自殺し直しているんです。もっと離れた場所で電車に飛び込んでます」

牧瀬裕子は自殺を図ったが、死ねなかった。退院したその日、牧瀬裕子は、わずか数時間前に、さっきまで自分がいた病院で立花氏が死んだことを知った。事情を重ね合わせて、牧瀬裕子はそれが自分の電話によって引き起こされたものだと悟った。死んだのは、あとを追ったのか、あるいは自責の念に駆られたのか。

「何てこった」

私は思わず呟いた。

一つの自殺が別の死を招き寄せ、その死が新たな自殺を生んだ。さらに皮肉なストーリーということか。

同じ想像をしたのだろう。竹井が暗い目でやり切れないように首を振った。

「それで」と気を取り直して私は聞いた。「牧瀬裕子の交友関係は？　誰か親しそうな同じ年頃の女の友達は知らなかったか？」

「そこまではわかりませんでした。隣の兄ちゃんも知らないって言ってましたし、春日総合病院の病棟の看護婦さんにまで聞いてみたんすけど、牧瀬裕子には見舞い客も誰もいなかったそうです。少なくとも看護婦さんたちは見てないって」

「家族は？」

「いないそうっすよ。入院しているときに、ほら、保証人とか必要だから聞いたんだけど、親もいないし親類も誰もいないって言われたらしいっす」

その言葉が本当だとするなら、電車に飛び込んだ牧瀬裕子の遺体は誰が弔《とむら》ったのだろう。業者が通り一遍の弔いをしただけか。せめてその同業者が心を込めて手を合わせてくれたことを私は願った。

「勤めていた会社にも電話してみたんすよ。でも、そこでも牧瀬裕子が死んだことは知っていても、葬儀に出た人は誰もいなかったっす」

「社員が死んで、誰も葬式に出ないのか？」

「ああ、正確には社員じゃなくて、常勤のアルバイトみたいな感じらしいっす。入院中にそのアルバイトも辞めるって連絡があったらしくて、その後に死んだって、会社とは関係ない人ってことみたいですよ。特に付き合いの深い人もいなかったみたいで、それで結局、誰も葬儀には出てないですね」

親類縁者もいない。親しい友人もいない。だとすると……。

同じ疑問を桑田も浮かべたようだ。

「あの、そうすると、あれは誰だったんでしょう？　あの、やっぱ、幽霊とかそういうオチっすかね？」

情けない桑田の顔に私は苦笑した。桑田がここまで必死に牧瀬裕子を調べたのは、その可能性をどうにかして否定したかったからか。

「まあ、そういうことになるな」と私は意地悪く言った。

「そういうことになりますかね？」と桑田は気味悪そうに言った。

そんなわけはなかった。

葉書に記された期日が迫っていた。何を説明できるわけでもないが、取り敢えずその日にやり直し葬儀などというものが執り行われることはないということだけでも報告しようと、私は立花家に足を運んだ。

立花氏と奥さんは立花氏の生前から、その息子夫婦と暮らしていた。訪ねた私を奥さんと長男とが迎えた。通されたリビングで、私は葬儀会場はすでにキャンセル扱いになっていることを告げ、牧瀬裕子なる人物は葉書の住所には存在しないと言った。本当ではないが、嘘でもない。個人の良心と、職業倫理との妥協の産物だった。

「それでは、やはり悪戯ということでしょうか」

奥さんが困惑したように言った。

「悪戯にしては、タチが悪過ぎるでしょう」と長男が憤慨して言った。「いったい誰がこんなことを」

「あるいは、こちら様ではなく、うちに対する嫌がらせとも考えられます」

私は言った。苦しい言い訳であることはわかっていたが、無理やりにでもどこかに落としどころを作れば、遺族がそこに収めてくれることもあり得る。遺族だって、自分や故人とは関係のないどこかに収めたいのだ。

「うちに対する嫌がらせとして、最近、葬儀を行ったお宅様を利用したということも。そうであるのなら、誠に申し訳なく、言葉もございません」

私は頭を下げた。

「そういうこともあるのかなあ」

憤然とした口調のまま長男が言った。

「まあ、そうなら、おたくも大変な仕事だよなあ。人の死を扱うと、それはややこしい客もいるだろうしなあ」

そう信じたのなら、もっと私を責めるはずだ。けれど彼はそうしなかった。私がそこに落としどころを作ったことを理解したのだろう。そして、そこに収めてもいいと言っている。母親を気遣ってのことだろう。

「まあ、うちとしては、こんな不愉快なことが二度となければそれでいいけど」

ちらりと上目遣いに見ると、長男と目が合った。

それを保証できるのか、と長男は聞いていた。大切な伴侶をなくしたうちの母親をこれ以上傷つけるような真似はもう起こらないと約束できるなら、この話はこれで収めようと。

「もう決してこんなことはないかと」

私としてはそう答えるしかなかった。

「そう」と長男が頷き、それでいいね、というように母親を見た。

「それならいいんですけどねえ」

奥さんが頷き、ああ、もう、頭を上げてくださいな、と言ってくれた。

私はもう一度深く頭を下げてから、顔を上げた。本来ならこれで辞するべきなのだろうが、できない約束をしてしまった以上、私としてもこのまま帰るわけにもいかなかった。あの女と立花氏との間に接点があるのかどうかはわからないが、牧瀬裕子から辿《たど》れない以上、立花氏から辿ってみるしかない。

「お伺いしてもいいでしょうか。仏様のこと」

改めて勧めてくれたお茶に口をつけてから、私は聞いた。

「え？」と奥さんが聞き返した。

「ああ、いえ。私どもの職業柄、いつもお会いするのは、仏様になられてのことですから、生前のことをお伺いする機会が中々なくて。葬儀の前となると、どうしても深くお話を伺うこともかなわないものですから」

「ああ」と奥さんは頷いた。「仏様って、主人のことですか」

「仏様って感じでもないか」と長男が笑った。「いい親父《おやじ》だったけどね」

「いい亭主だったわよ」と奥さんも笑顔になった。

「葬儀の折にも、それは感じられました。皆様に深く慕われていた方だったのだろうと」

「そうだね。息子が言うのも変だけど、いい人だったよ。仏様っていうよりは、あれは何だろう？　昼行灯《ひるあんどん》？」

「何よ、それは」

「特に役には立たないけど、いつも薄ぼんやりと明るくて暖かい」

「ああ」と奥さんが頷いた。「そうだねえ。そういう人だった」

「囲碁がご趣味だったとうかがいましたが、その他には？」

「どうかなあ。趣味って、他に趣味らしいものは何も」と長男が言った。

「そうだねえ。あんまり外に出かけるのが好きな人でもなかったしねえ」

「外に出かけるのが好きじゃないっていうより、親父の場合、家が好きだったんだよ。家族でグタグタと下らない話をしているのが本当は何より楽しみだったんじゃないかな」

「そうかもしれないねえ」

二人はそこに故人がいたときの情景を思い出すように、少し遠い目をした。

「外へは、あまり出られませんでしたか？」と私は聞いた。

「あれが濡《ぬ》れ落ち葉ってやつだろうって、うちのともよく笑ってましたよ」と長男が言った。「退職してからは、お袋と以外、出かけることって、あった？」

「そりゃ少しはあったわよ」と奥さんが笑った。

「ああ、あの、たとえば、週に何度か、夜、飲みに出かけられたりするようなことは？」

「飲みにって、うちのはお酒、駄目でしたから」

「定期的に家を空けられるようなことも？」

「なかったですねえ。たまに囲碁のお仲間たちと食事に行くようなことはありましたけど、お酒の場も苦手でしたからね。すぐに帰ってきちゃって」

「あとは趣味って言えば、孫をあやすか、家族で旅行に出かけるか、それくらい？」

「そうだねえ。何かそう言うとつまらない人だったみたいですけど」

ああ、いえ、そんな、と答えながら、私は考えていた。

奥さんも、同居している長男も、その行動に不審なものを感じていない。それどころか、滅多に家を空けることなどなかったと断言している。牧瀬裕子の家を週に何度かは訪ねたじい様。それは、立花氏だったのか？ 立花氏でないなら、じゃあ、それは誰だ？

ふと思い当たって、私は長男の顔を眺めた。年は四十代前半から半ば。じい様、と隣人の学生は言ったという。三十代半ばの牧瀬裕子をおばさんと言い切ったのなら、彼はじい様になるだろうか。

やはり無理だろう、と私は思った。せいぜい、おっさん、だ。牧瀬裕子が故人の愛人ではなく、それでも牧瀬裕子の近しい人間が遺族に対して嫌がらせをしたというのなら、その対象は故人の息子だったということもありうる。そう思ったのだが、やはり牧瀬裕子の相手をこの長男と考えるのは無理がある。

それでは、牧瀬裕子とこの家とはいったいどうやってつながるのだ？

わからないまま、私はその家を辞した。

牧瀬裕子と立花家の接点。

それを考えながら駅までの道のりを歩いていた私は、駅の手前でふと足を止めた。

牧瀬裕子と立花家の接点。それならあるじゃないか。

何だかすべてがちぐはぐな気がする。

神田の言葉を思い出した。

何か違う理屈を当てはめれば、しっくりくるようにも思えるんだけどね。

それが何なのかはわからない。けれど、たぶん、神田の言う通り、それは違う理屈なのだ。だから、そこは考えなければいい。

Aはなぜ森野葬儀店を訪ねてきたのか。Aはなぜ故人の従兄に対してだけ葉書を書いたのか。

考えるべきなのはそちらだったのだ。

たぶん、間違いはないだろう。

駅の改札を入るころには、私は行き先を変えていた。

けれど、なぜ？　Aとは、誰だ？

それはわからないまま、私は店に戻るのをやめ、牧瀬裕子と立花家の接点へと向かった。

長期戦は覚悟していた。Aを探し求めて、私は長椅子に座り、見渡せる範囲に視線を配っていた。さほど待つまでもなかった。私がそこに座り、三十分後にはAがそこを通りかかった。私はあとを追った。多くの人に交じってエレベーターを待っていたAは、やがてやってきたエレベーターに乗れないことを悟ると、脇にあった鉄の扉を押し開けて、階段に足をかけた。私はそのあとを追い、上下に人がいないことを確認して、彼女を呼び止めた。

「牧瀬裕子さん」

Aが足を止めた。そして五段上の階段から私を見下ろした。私はその制服の胸についた名札を見た。

春日総合病院。その内階段で、私はAの名前を知った。

「橋口《はしぐち》さんとおっしゃるんですね」

「ああ、葬儀屋さん」

彼女はさほど動揺する風もなく言った。

「橋口ヨシコです。ヨシコのヨシは貞淑の淑。ここで事務をやっています。はじめましてと言うべき？」

「いつもお世話になっております」と私は頭を下げた。「またご不幸の際にはお声掛けくださるよう、担当の方に強く推薦しておいてください」

考え方を変えればよかったのだ。彼女がなぜうちを訪ねてこられたのか。その葬儀をどこの葬儀店が執り行ったかなど、喪主に近しい人でない限り知ることはない。葬儀店についての不審な問い合わせがあったのなら、さっき訪ねたときに立花家の人からその話が出ているだろう。だからそんなこともなかったと考えるべきだ。それにもかかわらず、彼女はうちを訪ねてきた。どうやって彼女はうちを知ったのか。うちを紹介した病院の人間ならば、簡単に知れる。そして、葉書は故人の従兄の一人にしか届かなかった。とりわけ親しかったその従兄にだけ届けたのだろうと簡単に考えていたが、嫌がらせならば親戚中に送ったほうが効果的だ。だから、Aはその従兄の住所しか知らなかったのだ。入院患者には保証人が要求される。だいたいは、同居家族以外の保証人を要求する。おそらく、立花慎三氏が倒れたのを知って病院へ駆けつけた従兄は、そのまま入院の保証人になった。自分の住所を書き記し、署名した。だから、Aは病院にいる。病院内部に。そう考えた私の勘は外れてはいなかった。

「あなたがここにきたということは」

橋口淑子はゆっくりと階段を降りてきて、私の前に立った。その様は勝ち誇っている風でもあった。

「あの女が牧瀬裕子さんに気づいたということね？　どう？　少しは反省してるの？」

「あの女？」

勝ち誇ったような彼女の顔に不審そうな影が差した。

「あの女よ。死んだあの患者の奥さん」

喪主？　この女の悪意の対象は、喪主なのか？

「ああっと、何をなさりたいのか知りませんが、私が言いたいのは一つだけです」

「何かしら？」

「もう何もするな」

「は？」

橋口淑子はぽかんとした。

「それだけ？」

「ええと」と私は少し考え、付け足した。「今度、何かしたらぶっ飛ばす」

「謝罪は？」

「ああ、謝罪はもういいです」と私は言った。「こちらも忘れますので、そちらももう何もしないでください」

「違うわよ。あの女の謝罪は？」

橋口淑子が苛立《いらだ》ったように言った。

「は？」

今度は私がぽかんとする番だった。

「何で奥さんがあなたに謝らなきゃいけないんです？」

「それじゃ、どうしてあなたはここにいるの？」

「ああっと、明晰《めいせき》な推理のもとに？」

「推理？」

「ああ、嘘です。ごめんなさい。ほとんど勘です」

「勘って」

彼女は絶句し、それから矢継ぎ早に言葉を継いだ。

「それじゃ、あの女は気づいていない？　何も？　自分が何をしたのか、本当に気づいていない？　それが何を引き起こしたのか、わかってもいない？」

言葉の最後のほうにヒステリックな響きが乗り、私はうんざりした。これだから女は嫌だ。

「あの」と私は頭を掻《か》きながら言った。「こちらとしては、あなたがもう何もしなければ、それでいいんです。色々と思うところはおありのようですが、まあ、それはそれとして、ここは一つ、穏便にお願いします。それじゃ」

その悪意の対象が故人ではなく、また故人の名誉が今後汚されることがなければ、葬儀屋としての私の仕事はそれで終わっている。素性が割れた今、橋口淑子が今後何かをするとも思えなかった。

「待ちなさいよ」

踵《きびす》を返した私をヒステリックな声が呼び止め、私は本当に心からうんざりした。本当にこれだから女は嫌だ。

「だいたいあなたが」

私の前に回りこんだ橋口淑子はそう言って、そこで興奮に声を詰まらせた。

「だいたいあなたが、あのとき、葬儀を受けていればよかったのよ。ああ、いや、受けないのはわかってたわよ。でも、受けなくたって、牧瀬裕子の名前くらい伝えなさいよ。そのために、わざわざあんなことしたんだから。あなた、伝えたの？　伝えてもいないんでしょう？」

「それは、まあ」と私は頷いた。「ごめんなさい。伝えてません」

「だから、仕方なくあんな葉書を出したんでしょ。それでも、駄目なの？　伝わらなか

った の？」

「ああ、いえ、それは伝わってます。そのときにはちゃんと従兄の方から牧瀬裕子の名前は伝わりました。でも心当たりはないそうです」

橋口淑子の顔が歪んだ。

「心当たりがない？」

あの女、ひょっとして覚えてもいないの？

橋口淑子は苦々しく吐き出した。私は段々彼女が可哀想《かわいそう》になってきた。憎しみが空回りする人間は、愛情が空回りする人間よりよほど哀れだ。

「ああ、あの、ちょっと場所変えません？」

「場所？」

「病院の中、携帯がつながらないでしょう？　うち、葬儀屋なんで。いつ仕事が入ってくるかわからないんで、一応、携帯のつながる場所にいたいんです」

ついてこないならそれでもいい。私は鉄の扉を押し開けて、一階のフロアに戻った。橋口淑子はついてきた。エレベーターホールの前を通り、長椅子が並ぶ待合を抜けて、私は病院の正面入り口から外へと出た。車寄せにずらりと並んだタクシーの先頭車両の運転手が期待の目を向けてきた。私はそれを無視して、正面入り口の少し離れたところにあったベンチへ腰を下ろした。しばらく私の正面に立ちはだかっていた橋口淑子は、やがて私と少し距離を置いてベンチに座った。

「牧瀬裕子さんと立花氏との間には、何の関係もない。そうなんですね？」

苛々と爪を嚙み始めた橋口淑子に私は聞いた。

「ないわよ。たまたま同じ日に同じ病院に担ぎ込まれたってだけ。うちは優しーい病院だからね。救急医療体制も整っているし、患者はできるだけ受け入れる方針だし」

だから担ぎ込まれた。脳溢血で倒れた七十代の男性も、自らの手首を切った三十代の女性も。立花家にとっては、それが不運だったということか。

「ただ同じ日に同じ病院にやってきた。それが彼女にとって不幸の始まりだったのよ」

牧瀬裕子にとって？

橋口淑子の爪は、今、嚙んでいる中指だけでなく、親指も人差し指もぼろぼろだった。おそらく、私から見えない薬指も小指も同じだろう。この前、店にきたときにはそんなことはなかった。あのときは綺麗《きれい》に整えてからきたのか。他人を演じたときの彼女の爪と、素のままの彼女の爪を頭の中で比べて、私は憂鬱になった。

「どういうことです？」

彼女はそこでようやく爪を口から離した。そして私を見た。鋭い視線だった。鋭く、脆《もろ》い視線だった。

「自殺した人間は、一度死んでいる。たとえ自殺に失敗しても、そこで一回死んでいる。

そう思わない？」

「そういうことも、あるのかもしれません」と私は慎重に答えた。

彼女は私から目を逸《そ》らし、また爪を口に含んだ。

「だからやり直せる。そう思った。ううん。絶対、そうだった」

「親しかったんですか？　牧瀬裕子さんと」

私の言葉を彼女は鼻で笑った。

「親しくはないわよ。たかだか一週間、入院してただけの人だもの」

保証人の欄を埋めるよう看護師に頼んでも一向に埒《らち》が明かず、牧瀬裕子が入院して二日目に橋口淑子は自らの事務仕事を全うするため、直接病室に赴いた。そこで初めて牧瀬裕子を見た。自分と同じ年頃の、生気のない女だった。

どなたか、保証人になられる方はいらっしゃいませんか？

「第一印象は最悪だった。答えもしないの。こっちもムカッとして、ちょっとあんた、聞いてるのって」

肩を強くつかんだ。その途端……。

「いきなり泣き出されたのよ。あれには驚いた。うわんうわんって、子供が泣きじゃくるみたいにいきなり大声で。いつまでも泣き止まないし、ナースは飛んでくるしで、もう大騒ぎ」

医師や看護師たちから厳しい叱責を受けた橋口淑子の前に、牧瀬裕子がやってきたのはその日の夕方のことだったという。

ごめんなさい。ありがとう。

牧瀬裕子はそう言って頭を下げた。

何で、そんなことしたのよ。

手首の包帯を顎でしゃくって橋口淑子は聞いた。

生きてても仕方ないから、と牧瀬裕子は答えた。仕方ないことをしているのにも疲れたから、と。

「笑っちゃうでしょう？」と橋口淑子は皮肉めいた笑みを浮かべた。「生きてても仕方ない？　生きてて仕方のある人間がこの世の中に何人いるのよ。みんな生きてたって仕方ない人間ばっかじゃない。それに疲れたなんて言い出したら、みんな疲れてるわよ。みんな生きてたって仕方のない人生に疲れながら、それでも生きてるのよ。そうでしょう？」

「ああ、どうでしょう」

面倒ではあったが、さすがにそれに頷くこともできず、私は言った。

「もう少し楽しい人生観もあるとは思います」

女はつまらなさそうに私を見て、話を続けた。

「叱り飛ばしてから、叱り飛ばしちゃった手前、何となく身の上話を聞くことになった。あの子、不倫してたてね」

「相手は？」

「相手？　聞いたけど、忘れた。バイトで勤めている会社の部長だか専務だか、何かそんな男よ。二十六から始まって、もう八年も続いているって、そう言ってた」

　下らない話よ、と橋口淑子は言った。

「下らない男に、女の人生の一番いい時間を捧《ささ》げて、捧げつくしてからあの子は気づいたのよ。自分がもう若くないことに」

　本当に下らない話、と彼女は吐き出した。

「下らない男と下らない女との下らない話」

「はあ」と私は言った。

　でも、下らない結末にはならなかった。そうでしょう？

　橋口淑子は牧瀬裕子にそう言った。首をかしげた牧瀬裕子に、橋口淑子は言った。

　だって、あなた、死ななかったじゃない。

　出会って初めて、牧瀬裕子は微笑んだ。

「別に助けてあげようとも、励ましてあげようとも思ってなかったけどね」と橋口淑子は言った。「でも、その顔を見て、この子はもう大丈夫だと思った。この子は一度きっちりと死んだ。これから先は新しい自分をやり直せるって」

橋口淑子と牧瀬裕子は言葉を交わすようになった。昼食時にはお弁当を買って、病院の中庭で食べることもあった。仕事が終わると橋口淑子が病室を訪ね、缶コーヒーを飲みながら談話室でしばらく喋るのが日課になった。性格はてんで似ていなかったが、二人には共通することも多かった。二人とも三十四歳。二人とも田舎《いなか》から東京に出て一人暮らしをしていた。二人とも一人っ子で、牧瀬裕子はすでに母親を亡くし、父親の顔は知らなかった。橋口淑子はもう十年以上両親と連絡を取っていなかった。二人とも親しい親戚もなく、そして二人とも親しい友人がいなかった。

「別に特別なことでもない」と橋口淑子は言った。「田舎から東京に出てきている人なんてたくさんいる。両親がいないか、いないも同然なんて人もたくさんいる。親しい友達がいる人なんて、本人の思い込みを除けば、何人いるのかしら」

「さあ」と私は言った。

「どこにでもいる二人よ」と橋口淑子は言った。「だから、別に彼女の境遇に共感したわけでも、同情したわけでもない。ただ、ちょっと便利だなと思っただけ」

「便利？」

「そういう人が一人いると、結構便利なのよ。一人暮らしの女って、色々不便だから。近いうちに引っ越そうと思ってたし、そのときには保証人になってもらえたらって」

「ああ」と私は頷いた。

「そのためにも、あんた、ちゃんと就職しなさいよって。そんな男のいる会社、男ごと捨てて、新しい会社にきちんと正社員として入りなさいって。あの子、わかってなかったのよ。この先、女が一人で生きていこうと思ったら、それなりの覚悟と、ちゃんとした身分と、きちんとした収入が必要だってこと。てんで甘い子だった」

翌日の退院が決まったその日も、橋口淑子は仕事を終えたあと牧瀬裕子の病室を訪ねた。二人はいつも通り談話室で缶コーヒーを飲んだ。牧瀬裕子は、アルバイトとして勤めていたその会社を辞めたと橋口淑子に言った。退院したら、すぐにハローワークへ行くと。

中年の男に支えられるように老女がそこへやってきた。橋口淑子は聞くともなくその二人の会話を耳にした。どうやら脳溢血で運び込まれた患者の奥さんとその息子らしいと見当がついた。

早いよなあ。全然、元気だったのになあ。ああ、もっと長生きして、色んなところへ旅行して、アツロウに囲碁だって教えてやって欲しかったのになあ。

息子の嘆きに老女が答えた。

いい人生だったよ。お父さん、あんたには感謝してるよ。いいお嫁さんをもらって、孫も抱かしてくれて、一緒に住んでくれて。これ以上望んだらばちが当たるってくらい、いい人生だったよ。

俺、もっとしてやれたよなあ。もっと親父にしてやれたこと、あったよなあ。

何を言ってるんだい。もう十分だよ。十分してもらったよ。

体を支えているのは息子のほうなのに、その様は老女が息子を励ましているようにも見えた。自分を支える息子の手を軽くぽんぽんと叩《たた》き、老女は言った。

寂しく一人で生きている人たちだっているんだよ。そんな風に長生きするより、よっぽどいい人生じゃないか。

その言葉に隣の牧瀬裕子が体を強張《こわば》らせるのを橋口淑子は感じた。

「行こうって私はあの子を促した。でも、あの子は立ち上がらなかった。じっと二人を見てた。立ち上がらないっていうより、立ち上がれないみたいだった。肩に手をかけたら、体が震えてた」

「だって、当てつけたわけでもないでしょう」と私は言った。「夫と父を失おうとしている妻と息子の会話じゃないですか」

それが当てつけたように聞こえたのだとしても、それは牧瀬裕子の問題であり、二人に非などない。牧瀬裕子の退院の前日というのなら、その翌日の未明に立花氏は亡くなったはずだ。二人にとっては厳しい時間だったはずだ。

「わかってるわよ」と橋口淑子は言った。

息子が電話をかけるため、談話室を出て行った。あとに残った老女は、しばらくそこでぼんやりとしていたが、やがて立ち上がった。

「そこで初めて気づいたみたいに私たちを見た。あの女、あの子の手首の包帯に気づいた。そして」

哀れんだ。

「絶対、そう。そういう目だった。あの女、あの子を哀れんだ。いいわよ。哀れみなさいよ。でも、黙って出て行けばよかったのよ。それを」

お大事にね。

老女はそう声をかけたという。そしてためらい、付け足した。

まだお若いんだから。

老女はそう言って微笑むと、談話室を出て行った。

「お若いからって、何？　あの子、そう言った。もう触れなくても体が震えているのがはっきりわかった」

お若いから、だから何なのよ。

搾り出すように牧瀬裕子はそう言った。

お若いから、諦めずに結婚しなさいって？　子供を作りなさいって？　その子供に孫も作ってもらって、土下座してでも一緒に暮らしてもらいなさいって？　それができなければ、惨めに一人で寂しく暮らすことになるわよって？　そんな人生なら、どんなに長生きしたって幸せじゃないって？　ねえ、あの人、今、そう言ったの？

「私は何も言えなかった」と橋口淑子は言った。

「そんなつもりじゃないでしょう？」と私は言った。

「どんなつもりであったって、あの女は確かにそう言ってた」

　橋口淑子は言った。

「これから先にやり直そうとしていたあの子の時間のすべてを否定してた。ううん。それ以上。あの女はわかってたのよ。自分の場所に、あの子がこられないことを。だから、高みから見下ろして、あの子を哀れんだのよ。若くたって、こんな子の人生よりはよっぽど自分の人生のほうがいい。夫が死にかけている自分への慰めとして、あの女はあの子を足蹴にしたのよ。私にはわかった」

　震え続ける牧瀬裕子を抱きかかえるようにして、橋口淑子は病室へと連れ戻った。

「もう何を言っても聞いてくれるような状態じゃなかった。一晩寝て、少し落ち着いてから話をしようと思って、私は帰った。病院だし、滅多なことは起きないだろうと思って。でも、翌朝、病院にきてみたら、あの子、予定の時間よりずっと早く退院しちゃってた」

　橋口淑子は牧瀬裕子の携帯に電話した。つながらなかった。仕事の合間をみて、何度もかけ続けた。どれもつながらなかった。ようやく夕方近くになって電話がつながった。けれど、応じた相手は牧瀬裕子ではなかった。

「警察だったのかな。鉄道会社の人かもしれない。その人が教えてくれた。この携帯の持ち主は、駅のホームから電車に飛び込んで、見事にバラバラになりましたとさ」

「それが、立花氏の奥さんのせいだとでも？」

「あの子のせいよ」と橋口淑子は言った。「あの子が死んだのはあの子のせい。責任はあの子にある。原因だってあの子にある。でも、きっかけはあの女の言葉」

「だから、あんなことを？」

「あの子が死んで、二週間くらいあとだったかな。あの女が病院にきた。丁寧に診ていただいてありがとうございますって、事務方にまで挨拶にきた。さっぱりとした顔をしてた」

その顔が、橋口淑子にはこう見えた。

夫が死んだって、私は幸せ。あんな女の子より、よっぽど幸せ。

「あの子、死にました。私はそう言ってやった。あの女が帰るところをつかまえて、ちょうどそこで」

橋口淑子が正面入り口を顎でしゃくった。

「それはお気の毒に。あの女、そう言った。あの子の名前すら聞かなかった。あの子がどんな子か、知りもしないくせに勝手に哀れんで、あの子が死んでもその名前すら知ろうとしなくて。だから、私はあの子の名前だけでもあの女に伝えてやろうと思った。あんたの愛する夫の愛人だった。そう言ったら、あの女がどう思うだろうと思った。それでも、あんたは夫を信じられるのか？　それでもあんたはあんたの過ごしてきた時間が幸せだったって言い切れるのかって」

　あの子、死にました。

　立花氏の奥さんがそう告げられたという正面入り口を見ながら、私は考えた。立花氏の奥さんは、その「あの子」が誰であるのか、わかっただろうか？　病院に出入りする間に見かけた、あるいは声をかけた誰かだと漠然とそう想像しただけではなかっただろうか。名前も聞かなかった。それはそうだろう。夫を失ってまだ間もないのだ。別の死の話など聞きたいはずがない。それはお気の毒に。通り一遍の悔やみを述べて、その場から去った。

「奥さんは何も悪くないです」と私は言った。

「悪いとか悪くないとかじゃないのよ」と橋口淑子は言った。「せめてあの子の名前くらい知りなさいよって。夫の愛人じゃないと確かめたいなら、あの子のことを知りなさいよって。私はそう思ったの。その上で、まだあの子を哀れむなら、いくらでも哀れみなさいよ。いくらでも哀れみながら、他人を哀れむことでしか成り立たないその幸せの中で、せいぜい長生きすればいいわよ」

吐き出される毒に眩暈《めまい》がした。その眩暈の中で私は思い当たった。

違う理屈。

神田の言葉を思い出した。

そう。それは違う理屈なのだ。

やっていることと、それを支えているエネルギーのバランスが取れてない。

それはそうだろう。本人さえ無自覚なのだから。

「あなたはどうなんです?」

頭を振って軽い眩暈を追いやると、私は聞いた。

「え?」

橋口淑子が口から爪を離して私を見た。

「牧瀬裕子さんが亡くなったと知ったとき、あなたは悲しかったですか?」

「悲しかったわよ。短い時間だったけど、ああ、久しぶりに友達になれそうな人ができたなってそんな気になってたから」

それは、たぶん、嘘ではないのだろう。

「牧瀬裕子さんのお墓はどちらです?」

「お墓?」

「ここまでお話をうかがったのだから、一度、お参りさせていただこうと思いまして」

「お墓なんて知らないわよ。どこかに適当に埋められているんでしょう」

やはりそうか、と私は思った。彼女が参るはずがない。彼女が牧瀬裕子を参ったって、彼女が死んでも牧瀬裕子は参ってくれないから。彼女が牧瀬裕子を悼んだって、牧瀬裕子が彼女を悼んでくれることはないから。

共感したわけでも、同情したわけでもない。

橋口淑子自身もさっきそう言った。そうなのだろう。共感したのでも同情したのでもなく、彼女は牧瀬裕子に同調したのだ。それまでの人生を断ち切ったのも、これから先に新しい人生をやり直すつもりだったのも、彼女の中でそれは牧瀬裕子という名前の自分だった。だから、立花氏の奥さんに対してこれほど腹を立てた。彼女がやったのは復讐の代行ではない。彼女自身の怒りを爆発させただけだ。それに無自覚に復讐の代行という形を与えようとしたから、バランスが悪くなる。

嫌悪感はあった。顔を合わせて以降、募るばかりだった。けれど憎めはしなかった。

それはたぶん……。

思考したくなくても、頭が勝手に結論を下していた。

それはたぶん、私の中にもいる女だからだ。

ああ、そうだよ、と私はそっとため息をついた。

一人である。そのことに安らぎながら脅えている。一人である。そのことに充足しながら不満を抱えている。一人である。そう知りながらそれを否定している。その女は、確かに私の中にもいた。

私はポケットを探り名刺を取り出した。

「お持ちになってってください」

「は？」

訝《いぶか》りながら橋口淑子がその名刺を受け取った。

「財布なりカード入れなりにいつも入れておいてください。事故だろうが自殺だろうが、うちに連絡がくると思います」

身寄りのない遺体が出る。その持ち物から葬儀屋の名刺が出てくる。見つけた相手が病院だろうが警察だろうが、一石二鳥だろう。たぶん、真っ先にうちに電話がくる。

「何、言ってんの？」

「それが私が死ぬより前であるなら、私が弔わせていただきます。丁寧に、心を込めて、弔わせていただきます」

「弔うって、ねえ、さっきから何の話？」

「私も親が死んでます。一人っ子で、独身ですし、目下、恋人だと胸を張れるような相手もいません。親しい友人もいません。その私が、あなたを弔います」

「はあ？」

「友人としてとは言いません。ただ、かつて一度親しく言葉を交わしたものとして、あなたを弔います」

橋口淑子の顔から皮肉な表情が消えた。

「もしその前に、あなたを弔うべき人ができたら、その名刺は捨ててください」

皮肉な表情が消えてしまえば、彼女の顔には何も残らなかった。その平坦《へいたん》な顔のまま、彼女は親指と人差し指で名刺の角を支え、名刺にふっと息を吹きかけた。彼女の手の中で、私の名刺がくるくると回った。

「できるかしら、そんな人」

「どうでしょうね」と私は言った。

彼女が私を見た。

「できますよ、くらい言えないもの？」

「ごめんなさい。人を励ましている余裕がないもので」

笑みはなかった。けれど、彼女の中でずっと張り詰めていた糸がふっと緩んだような、そんな気がした。

「あんた、いくつ？」

「二十九です」

「そう。まだまだね」

「まだまだ、ですか」

「まだまだよ。まだまだ」

「心しておきます」

私は立ち上がり、一礼すると歩き出した。このまま立ち去ったほうがかっこいいよな、とは思った。それでも背に腹は代えられず、私は足を止め、自分のいじましさにため息をついてから、まだベンチに座っていた橋口淑子を振り返った。

「ああ、ごめんなさい。やっぱりその名刺は捨てないでください。もしそんな人ができたら、その人に名刺を渡して、私の葬儀は絶対ここでしろって伝えてください。それと、さっきの話、あの、また病院でご不幸が出た際には、その名刺を思い出してください」

わかったから、さっさと行け。

そう言うように橋口淑子が名刺を持ったままの右手を振った。

「よろしくお願いします」

また一礼して、私は彼女に背を向けた。

死者に縁者がいなければ、その対処は自治体が行うことになる。自治体の依頼を受け、縁者のない人を埋葬してくれる墓地はそう多くはない。牧瀬裕子が自殺した駅の場所からすればだいたいの見当はついたが、念のためと思い、私は管轄の警察へ電話をかけ、遺体収容を依頼した葬儀屋の連絡先を聞いた。その葬儀屋へ電話してみると、牧瀬裕子の葬儀は通常通りに営まれていた。

「依頼人は誰です？」

「お父さんですよ。警察から連絡が行ったらしくて。ずいぶん、音信がなかったらしいですね。うちとしても、一応、頑張ってはみたんですが、ほら、轢死《れきし》でしょう？　とてもお顔を見ていただけるような状態ではなくて。火葬のあとならまだよかったんですけど」

「ああ」と私は言った。「そうでしたか」

墓の場所を聞いて、私は電話を切った。

行こうと思っていたその日に仕事が入り、そのままずるずると日が過ぎてしまった。病院で橋口淑子と会ってからひと月近くが過ぎた六月の初め、私は店を竹井に任せ、ようやくその墓を訪ねた。郊外の丘陵地帯に広がる墓苑だった。墓の前には、年老いた男性がいた。立ち止まった私と、私の手の中の花をしばらく見比べた男性は、墓に目を遣《や》り、ここに、と尋ねるように、その視線を私に返した。

「ええ」と私は頷いた。

「牧瀬裕子の父です。いえ、父といっても」

その先を説明しあぐねた男性に、はい、と私は頷いた。

「ああ、そうですか」

男性が私のために場所をあけた。偶然ではないのだろう。牧瀬裕子の死からこれまで、彼はたぶん、日を空けることなくこの墓に参り続けているのだろう。

私はすでに供《そな》えられていた花の横に持ってきた花を添え、線香を焚《た》き、手を合わせた。

立ち上がって振り返った私に、男性が丁寧に頭を下げた。

「いつもありがとうございます」

いつも？

「え？」と私は聞いた。

「あ、いつもお花を供えてくださっているのは、あなたではないんですか？　ここひと月ほど、いつきても新しい花が」

男性が墓のほうを見て、私もそちらを振り返った。そう思ってみれば、先にあった花は、今、供えられたようには見えなかった。男性が持ってきたものではないようだ。

「ああ、いえ。私は今日、初めて参らせていただきました。牧瀬さんとは薄いご縁しかなかったもので」

「ああ、そうでしたか」

男性はしばらく迷ってから、私に言った。

「それでも、少しお話を聞かせてもらえませんか。裕子とは、もうずいぶん前に別れてしまって、ほとんど何も知らないものですから」

「ああ、いえ。でも、私もお話しできるようなことは何も」

「どんなことでも構わないんです。あの子がどんな風に暮らしていたのか。少しでもわかれば」

「はあ」

困り果てた私の目に、男性の背後からやってくる人の姿が映った。彼女は小さな可愛らしい花束を抱えていた。こちらも偶然ではないのだろう。このひと月、いつもきていた彼女が、今日もやってきた。それだけだ。

「それなら、私より彼女のほうが」

「え？」

男性が私の視線を追って、背後を振り返った。そこにいる私たちに気づいた橋口淑子が足を止めた。しばらく男性を眺めた橋口淑子は、やがて小さな笑みを浮かべた。穏やかな優しい微笑だった。

「牧瀬裕子さんのお父様ですか？」

「はい」

男性が頷いた。

「私、橋口淑子と申します。彼女の友人です」

橋口淑子が私を見て少し顎を引いた。私も彼女に頷き返し、男性に一礼してから、その場を立ち去った。

橋口淑子がどんな人として牧瀬裕子を語るのか。それはわからなかったが、危惧はしていなかった。橋口淑子は、短い時間しかともにできなかった、けれど大事な友人だった牧瀬裕子を語り、父親とともにその死を悼むだろう。そして彼女自身のこれからの時間を彼女なりに歩いていくのだろう。だって、花束に添えられた彼女の指の爪は綺麗に揃《そろ》えられていたから。

振り返ると、牧瀬裕子の墓を見遣りながら、橋口淑子が父親に何かを語っていた。その一つ一つの言葉を噛み締めるように、父親は頷き、彼女の話を聞いていた。

死者の死を生者が静かに弔い、生者の生を死者がひっそりと支えている。

私の目にそれは、そんな光景に見えた。

ありがとう。

誰にともなく口の中で呟いてから、私はまた歩き始めた。

ACT.3
想い人

狭い店内だ。体を棚のほうに寄せて私が道を譲ると、その男は軽く会釈をするようにして私の脇を通り過ぎた。喫煙者なのだろう。タバコの匂いが漂ってきた。私が禁煙してもう四年になる。吸っていたときには気にならなかったその匂いが、今では結構、鼻につく。私にとってそれは嫌な匂いではない。まだ二十歳そこそこだったころを思い出させる、どこかくすぐったい匂いだ。

私の脇を通り過ぎた男が、ちょっと怪訝《けげん》そうに私のほうを見た。その視線を受けて、私は咄嗟《とっさ》に自分の匂いを探した。男の鼻にそれが匂ったのかと思ったのだ。けれど、違った。男は問いかけるような目線を店の奥、レジのところに立つ店主に向けていた。

「ああ、違うよ。それは、近所の葬儀屋」

「どうも。近所の葬儀屋です」と私は言った。「ご用の際は是非」

「うちの娘はもうちょっと別嬪《べっぴん》だ」と店主が言った。

「それほどでもないです」と正確を期して私は訂正した。

ああ、そりゃどうも、と挨拶にもならない言葉を口の中で呟《つぶや》くと、それじゃまたうかがいます、と一礼して、男は店を出て行った。

「何だ？」と私は店の奥に目を向けて言った。

「コンビニチェーンの本部の人」と酒屋はつまらなさそうに答えた。「うちもコンビニにしないかって」

「へえ。するのか？」

「しないよ。面倒臭えもん」と酒屋はやはりつまらなさそうに言った。「だいたいよお、欲しけりゃ、お前ら、夜だろうが朝だろうが、シャッターがんがん叩《たた》くじゃねえか。うちはもう十分コンビニエントだろうよ」

「そりゃそうだ」

私は笑った。私用では一応、遠慮してやっているが、仕事で入用のときには、遠慮なく私もそうしている。

「そんでもしつこいもんだからよ。うちの娘が強硬に反対してるって、そういうことにしたんだ」

酒屋の娘は関西に嫁いでいる。帰ってくるのは、せいぜい年に一度か二度だ。どんな嘘《うそ》をついたところで、あの男とこの店で行き会うことはないだろう。

「そんで、何だ？」と酒屋は聞いた。

「ああ、夏祭りの打ち合わせ」と私は言った。「今度の日曜日な。布団屋でやるからって」

「おう。もうそんな季節か」

酒屋は背後を振り返り、六月の半ばを示していた日めくりカレンダーを一枚破った。

「わかった。ご苦労さん」

商店街では年に一度、駅前の小さな広場で夏祭りをやる。出店を出せるような業種でもない葬儀屋や布団屋は雑用に回される。二ヶ月後に迫ったそれの、今回、私は連絡係をおおせつかった。

「そういや」と店を出かけて、私は振り返った。「酒屋って、匂いがしないもんだな」

「当たり前じゃねえか」と酒屋は言った。「ビンだって缶だって密閉されてるしな」

「ああ、そりゃそうか」

私は言って、酒屋を出た。

電車の中、駅、デパート。他人がいつもより身近にくるような場所では、私は咄嗟に周囲を見渡し、なるべく人がいない場所を探す。自分の発する匂いが気になるからだ。死臭、というと少し違うと思う。警察の指定業者として、時間の経過した遺体や損傷の激しい遺体を扱っている同業者は、遺体やその遺体から流れ出た体液が発する匂いが自分の身についていないかを気にかける。けれど、浅野さんが仕事を回してくれていた時期を除けば、うちの店がそういう遺体を扱うことは稀《まれ》だ。うちは専ら病院ですでに清潔に拭われ、体液が流れ出ないよう綿で栓をされた遺体を扱っている。それでも私は、時折、ふと自分の体に死の匂いを嗅ぐ。

あるいはそれは密閉されていないせいだろうか。

店に戻り、私は鼻を利かせてみた。何の匂いもなかった。とするなら、死を密閉できていないのは、店じゃなく、私なのだろうか。

私は自分のデスクについた。ぼんやりと電話を眺め、眺めているうちに自分が電話を待っていることに気がついた。仕事の電話じゃない電話を。

私は椅子の背もたれに身を預け、頭の後ろで手を組んだ。自然と天井を見上げる形になった。店の二階は私の住居になっている。そこに人を上げることは滅多にない。

やめて。

あの日、私は咄嗟に神田を押しのけていた。

私、匂うから。

拒絶ではなかった。照れ隠しの言い訳でもなかった。あのとき、私はその匂いが移ることを本気で心配した。

それが何のことか、しばらく神田はわからなかったようだ。死の匂い。自分の身にまとうその匂いを私が気にしているのだと、しばらくしてから神田は気づいたようだ。

気のせいだよ。

神田は笑った。神田はそう笑って私を抱き寄せた。

違う。

私は突き飛ばした。突き飛ばそうとしたけれど、突き飛ばせなかった。それより強い力で、神田に抱き締められていた。

「そうだね。違うのかもしれない」

神田は言った。そして、だから何だっていうんだと私の髪に口を寄せた。

「それが森野の匂いなら、僕はそれで構わない」

請け負う、と神田は言っていた。今までの私も、今の私も、これからの私も、そのすべてを自分が請け負う、と神田はそう言っていた。たとえようもなく甘い誘惑だった。その誘惑に私は負けた。神田の腕の中で、溶けていく自分を感じていた。このまま二度と形をまとうことはないのではないか。そう思った。それでいいと思った。そうありたいと願った。けれど、もちろん、そんなわけにはいかなかった。甘美な時間が過ぎてしまえば、そこには神田である神田がいて、私である私がいた。

店の戸が開き、私は慌ててそちらに目を向けた。もう八十を過ぎているだろう。どこか品のいい小さな老女がおずおずとそこから顔を出していた。

「ああっと、何か、御用でしょうか？」

照れ臭い回想の残り香を頭から追い出し、私は椅子から立ち上がった。

「こちら、森野葬儀店さんですよねえ」

その前に立った私の体を避けるように、老女は視線を店内にさ迷わせた。

「ええ、はい」

「社長さんはいらっしゃいますかしら？」

「社長は私ですが」

「あなたが？」

「ええ」

老女が怪訝そうな顔をした。やはりこの仕事は年齢が大きくものをいう。普段は大した化粧などしないが、せめて仕事中だけでも老けて見えるようなメイクをするべきだろうかと考えながら、私は老女を招き入れた。

通常の葬儀で、お客が店を訪ねることは、まずない。電話を受けて、こちらから出向いていくのが当たり前だ。

生前葬だろうかと一瞬考え、思い直した。以前よりはポピュラーになったとはいえ、生前葬を執り行う人はまだまだ少ない。そういうことを思いつくような、どこかあっけらかんとした雰囲気が老女にはなかった。あるいは葬儀の予約か、とソファーを老女に勧め、お茶を淹《い》れながら私は考えた。一人暮らしで身寄りもない老人が増えてきたせいだろう。自らの葬儀を予約する人がたまにいる。事前に葬儀の内容を決め、参列者名簿を託す。手付けをもらって、そういう仕事を請けたことも何度かあった。そういう際には、後々、トラブルにならないよう、法的に有効な遺言を書いておいてもらうようお願いしている。本人に身寄りがないと思っていても、その死後、「身寄り」が出てくることがある。残りの葬儀代を払うか払わないかで、実際に一度、揉《も》めたこともあった。

そのマニュアルを思い浮かべながら、私はソファーに戻り、老女にお茶を勧めた。が、老女の用件はそういうことではなかった。

「社長さん、代わられたのかしら？」

有吉里子《ありよしさとこ》、と名乗ったその老女は私に聞いた。

「は？　ええ、まあ。もう十年以上前ですが」

「あら、そうでしたの」

ちっとも知りませんで、と老女は言った。

十五年前、老女はその連れ合いの葬儀をうちに託したという。

「でしたら、それは父です」と私は言った。

十五年前。私は十四歳。うちが葬儀屋であることは、もちろん、心得ていたが、その仕事には何の興味もなかった。葬儀屋を継ぐ気は私にはなかったし、父にもそんなつもりはなかっただろう。

「十一年前に亡くなったものですから、それからは私が」

「ああ、それはお気の毒に」

「父に何かお話でもありましたか？」

「ああ、いえいえ。別にそういうことではないんです。前を通りかかりまして、つい懐かしくなりましてね」

そう微笑《ほほえ》んだ老女を、暇潰しに世間話の相手が欲しいのだろうと思い、しばらく話を合わせていたのだが、老女には何か違う目的があったようだ。ぽつりぽつりとこぼす独り言のような言葉が、それをきっかけに当てもなく広がっていく気配はなかった。何か言いたいことを言いあぐねている。そんな気がした。

「お子さんもいらっしゃらないとなると、お寂しくはありませんか？」

老女の言葉から、私はそちらに会話を広げてみようと試みた。

「寂しいということは、それはありませんかねえ」

もう十五年ですから、と老女は呟いた。

「一人にも慣れました」

「そうですか」と私は言った。「でも、たまにはおいでになってください。ご覧の通り、暇な店ですから」

それはどうもありがとうございます、と老女は頭を下げた。

「お茶、新しいの淹れますね」

二人の前の湯飲みを取り、私が立ち上がったときだ。

「馬鹿なことを聞くかと思いますが」

老女が言った。

「死んだ人に会うということはあるものでしょうか」

また幽霊話か、と私は思った。

「ありますよ」

急須《きゆうす》から二つの湯飲みにお茶を淹れ、私は老女の前に戻った。

「そうしょっちゅうというわけではないですが、さほど珍しい話ではないです」

どうぞ。

私が勧めると、恐れ入りますと頭を下げて、老女は湯飲みを手にした。

「そうですか。そういうものですかねえ」

それはおかしな話ではなく、だから自分がおかしいわけではないとホッとする。それは珍しい話ではなく、だから自分が特別な体験をしているわけではないのだと少し落胆する。老女はどちらの反応も示さなかった。

「会われましたか？」と私は言った。「亡くなられたご主人ですか？」

「ええ」

湯飲みを置いて頷《うなず》いてから、老女は首をひねった。

「ああ、いえ、どうなんでしょう。相手がそうだと言っているだけで、本当にそうなのかどうか」

「ああ」と私は頷いた。

確かな形を取っているわけではないということか。幻覚か幻想か、あるいは本当の幽霊かはともかく、老女の意識の中に立ち現れたそれが、確かに十五年も前に死んだ連れ合いなのかどうか、老女は測りかねているということだろう。

十五年、と私は思った。なぜ、十五年も経《た》った今なのか。それは老女が自らの死を意識し始めたということだろうか。

「それほど思い煩われる必要はないと思います」と私は言った。「いずれにしろ死者ですから」

老女を安心させようと私は笑みを浮かべた。

「どこかのホラー映画みたいに、たたるなら別ですけど。蛇口から血が出たりとか、誰もいない部屋でがたがた音がしたりとか、そういうわけではないでしょう?」

「はあ、それは、まあ、そういうことはないようです」と老女は言った。

「それから、ご供養が足りなかったのではないかと思われているのなら、それも関係ないです。そういう話、何度か聞きましたが、どなたも心から故人の冥福をお祈りしている方々ばかりでした。故人への思いが強くていらっしゃるのだと、私はそう理解しています」

「思いが」と老女は言った。「はあ、そういうものでございましょうかね」

「お気になさらないことです」と私は言った。「もし、また出るようなことがあれば、いつでもいらしてください。電話をくださっても構いません。私の家、ここですから、夜中でも電話は通じます。必要であれば、いつでもお宅にうかがいます」

「ああ、はあ、夜中はさすがにくることはないですが」

その言葉を私は聞きとがめた。カワタレ時に薄ぼんやりと出ていた古きよき時代の幽霊と違って、今時の幽霊が出るのはだいたい夜中と相場が決まっている。

「夜中は出ませんか」

「夜中は、さすがに。私も夜が早いですし、だいたいくるのはお昼時です」

くる？

そのときになって、ようやく私もどこか会話が嚙《か》み合っていないことを察した。出るのではなく、くるのか？

「ええと」と私は考えた。「くるのですか？」

「ええ。週に一度くらい。だいたいお昼時です。一緒にお茶を飲んで、他愛《たわい》のない話をして帰ります」

お茶を飲んで、世間話をして帰る？　そんな話は聞いたことがない。幽霊とは、だいたいは恨めしそうな、あるいは寂しそうな、ときには笑顔で、それでも黙ってぬぼっと立っているものだと相場が決まっている。たまに声を発するときがあったとしても、せいぜい一言二言だ。世間話をする幽霊など、少なくとも私は聞いたことがなかった。

「ああ、ええと、でも、そこまではっきり言葉を交わしても、故人かどうか確信がもてないわけですか？」

「ええ、はあ、すみません」と老女はわけもなく謝った。「たぶん、そうなんだろうとは思うんですけど、何せ姿があぁですから」

「姿？」と私は聞いた。「どんな姿です？」

「ですから、十五歳ほどの、中学生ですか？　高校生？　それくらいの男の子ですから、私も何だか信じられなくて」

何だ、何だ？　十五歳の男の子？　何でわざわざ若返って出るんだ？

「ええと、それは故人の若いころの姿とは、ああ、お写真とかと比べて」

「全然違いますよ」と老女は笑った。「うちのは、こう、顎が前に、しゃくれてるというんですか？　そういう顔でしたし、その男の子はつるっとした男前です」

若返った上に、男前になって、十五年も経ってから出てくる幽霊？　どんだけ自分勝手なやつだ。

「学校がありますので、きてくれるのは、だいたい土曜日か日曜日の昼間です」

もはや私の経験を完全に超えていた。

「学校へ通っているわけですか」

「ええ、それは」と老女は頷いた。「まだ十五歳ですから」

「ああ、はあ」と頷きかけ、何だかおかしな方向へ話が流れそうな予感を持ちながらも、私は反論を試みた。「いや、でも、幽霊ですよね？　幽霊が通うんですか？　学校へ？」

「は？」

老女はきょとんとして、それからようやく納得がいったように声を立てて笑った。

「ああ、幽霊ではないです。幽霊なんてそんなものは」

老女は笑いながら言ったあと、ふと真顔になった。

「いるんですか？」

「ああ、いや、いるかどうかは私にもよくわかりませんが、見たという話は珍しくないです。あ、でも、え？　ええと、今のそれは何の話なんです？　幽霊じゃないんですか？」

「幽霊なんかじゃないですわ」と老女は言った。「幽霊なんかじゃなく」

生まれ変わりです、と。

幽霊話が珍しくないというのなら、生まれ変わりという話も、それは珍しくはないのだろう。古今東西、書物を繙《ひもと》けば、そんな話はいくらだってある。それはフィクションだろうと言うのなら、幽霊話だって基本的にはフィクションだ。両者の間に本質的な差異はない。それでも、幽霊話と違って、生まれ変わりという話をそれほど耳にすることがないのは、両者の間にある決定的な違いのせいだろう。いつどこでどうやって出るのかわからない幽霊と違って、故人の生まれ変わりだと主張する誰かが存在するのなら、それは検証が可能になるということだ。だから生まれ変わりは、フィクションとして極めて成立しにくい。

けれど、それがフィクションでないのなら？

私は首を振った。そんなことがあるはずがない。おそらく、どこかの悪がきが小遣い銭でも巻き上げるために、ずいぶん年のいった老女を食い物にしようとしているのだろう。お金を渡したことなどないと言っていたが、いずれ千円、二千円から始まり、やがて一万、二万と甘えてくることだってありうる。

次の土曜日、私は聞いておいた住所を地図で調べ、老女の家を訪ねた。店がある商店街から駅を越え、さらに二十分ほど歩いたところにある古い木造家屋だった。

古ぼけたポストのある門を入り、踏み石を三つ踏んで、木の引き戸の脇にあったチャイムを押した。老女が戸を開けた。

「こんにちは」と私は言った。「近くまできたものですから。あれから、どうなさっているかと思いまして。あ、これ、つまらないものですが」

私は同じ商店街にある和菓子屋で買ってきた饅頭《まんじゆう》を差し出した。

「あらあら。こんなお気遣いいただいて。狭いところですが、どうぞお上がりになって」

私はその家に足を踏み入れた。通されたのは日当たりの悪い六畳の和室だった。私はまず、部屋の隅にあった小さな仏壇に向かって手を合わせた。その上の壁に掲げられたのが故人の遺影だろう。老女の言うように顎がちょっとしゃくれていたが、若いころは中々の美男子だったのではないだろうか。ツバのある帽子をかぶったその写真は、どこかユーモラスでちょっと洒落《しやれ》た老人を思わせた。老女が私の持ってきた饅頭とお茶を持って部屋にやってきた。足が痛むようだ。座るときに座卓に手をついて、かすかに顔をしかめた。

「あれから訪ねてきましたか？」

黒い座卓を挟んで老女と向かい合い、私は尋ねた。

「いえ、今週はまだ」と老女は言った。

土曜日。あわよくばその悪がきとここで鉢合わせするかもしれないと考えていたが、どうやら無駄足だったようだ。

「住所か、あるいは携帯とか、連絡先はわかりませんかね？」

「ああ、そういうものは」と老女は言った。「そうですね。聞いておけばよかったんですけど、聞いたことがないもので」

昔の思い出話ばっかりで、と老女は呟いた。

そうだろうか？　一度だけならともかく、彼は四度も訪ねてきているという。その相手の連絡先を聞かないというのは、むしろ不自然だ。そういう方向へ話を進めないように悪がきが計算したのではないだろうか。だとするなら、悪がきは私が思うよりタチが悪いかもしれない。

「今度訪ねてきたら聞いておいてください」

言ってから、それはやぶへびかもしれないと思い直した。疑われていると悟った悪がきが、乱暴な真似《まね》に出ないとも限らない。

「ああ、いえ、今度、訪ねてきたら、電話をくれませんか？　すぐにうかがいます」

「ええ、はあ」と老女は頷いた。「それは構いませんが」

「一度、話をしてみたいんです。そんな風になるというのは、何か、こちらの葬儀に手抜かりがあったのではないかと、気になってしまっていて」

「森野さん」

居住まいを正して老女は言った。

「先日は、すみませんでした。何だかおかしな話だなと思って、誰かに相談しようと思ったのですが、でも、おかしなことなんてないですよね。いえ、それはおかしなことなのかもしれませんが、あの子が、連れの生まれ変わりであることは確かなわけですから」

「確か、ですか？」と私は聞いた。

「ええ。それは、もう確かに」と老女は頷いた。「本人じゃなければ知らないことをいっぱい知ってましたから。私が忘れているようなことまで」

検証は済んでいるのか。少なくとも、老女が納得するような検証は済んでいるということだ。受け答えは確かだし、老女にボケが訪れている風はない。その老女を納得させたのなら、そこには何かトリックがあるはずだし、そのトリックの内容によっては、話は少し大げさなものになる。ひょっとするとその悪がきは誰かの使いっ走りで、裏で糸を引いている人間がいるのかもしれない。だとするのなら、一万、二万の小遣い稼ぎと考えるのは甘いかもしれない。

「どんな話をされました？」

「どんなって、それは、もう色々です」と老女は言った。「結婚してすぐこの家に越してきたころの話とか、二人で行った夏祭りの話とか、旅行へ出かけたときの話なんかも。専ら若いころの話をもう本当に色々。あれやこれやと楽しく話してくれましてね。あの人と話していると、私の人生もそんなに悪いものじゃなかったなって、そう思えてきまして」

ああ、今日はこないのかしら。

待ち遠しそうに老女は言った。

その少年が十五歳だというのならば、彼が生まれたときには、彼女の連れ合いは死んでいるか、死の間際だ。彼と彼女の連れ合いに直接の接点はあるはずがない。だとするのなら、あるはずのないその少年の記憶は、少年が何らかの方法で調べたということになる。だが、どうやって？　徳川家康《とくがわいえやす》や坂本龍馬《さかもとりょうま》の話ではない。何を言ったか、何をしたか。何に笑い、何に泣いたか。起こったことが、そのときどんなに大きなことだったとしたって、人のささやかな人生のエピソードは後世に残るものではない。ただその人の中にだけ存在し、その人とともに世界から失われる。それを少年が知り得るはずがないのだ。ましてやその記憶は十五年よりはるか前、二人が若いころの記憶が専らだという。そんなもの、普通ならば調べようがない。

「日記とかはどうでしょう？」と私は言った。「ご主人が日記をつけていたようなことはないですか？」

「さあ、どうでしょう」と老女は首をひねった。「そういったことはなかったように思いますけれど」

仮に日記があったとしたところで、何の関係もないその少年の手にその日記が渡ったとも考えづらい。とするのなら、その少年の記憶はどこで得たものか。

ふと思いついて私は聞いた。

「その話、本当にその通り、間違いのないことなんですか？」

「ええ。それはもう」

頷いてから、老女は少し首をかしげた。

「それは、少しはお互いの記憶が違うこともありますが、でも、昔の話ですからねえ。それくらいは仕方ないでしょう。私のほうが間違えて覚えていることだってあるでしょうし」

食い違うのか、と私は思った。

老女の言う通り、昔の記憶を二人が語り合えば、そこに食い違いがないほうがおかしい。もし、その少年と老女との間に食い違いがないのならば、それは老女自身がどこかで少年に語ったということだってあり得る。私はそう思ったのだ。たとえば、今から五、六年前、まだ小学生だったその少年に老女は何かのきっかけで昔語りをした。小学生から五、六年経てば、顔立ちも雰囲気も変わるだろう。一見して、老女が思い出せない風情になっていることだってあり得る。少年は何食わぬ顔で、過去に聞き知った老女の記憶を披露した。そう考えられもする。けれど、食い違うというのなら、その記憶は老女のものではない。ましてやその食い違いは致命的なものではない。自分が記憶違いをしているのかもしれないと老女に思わせるようなささやかなずれ。そんなデリケートな嘘を他人が作れるものだろうか。

生まれ変わりか、と私は思った。

そんな馬鹿なことがあるはずがない。そう思う一方で、訪問を待ちわびている老女の様子を見ると、そんなことがあってもいいかという気にもなる。その少年が何者で、どんなつもりでいるのかはわからない。けれど、ただ老女と昔話をしているだけならば、彼は故人の生まれ変わり。私はそれで構わない。

「もしその子との間に、何かが起こったら、すぐに連絡してください。どんなことでも構いません。たとえば、少しお小遣いをせびられるようになったとか、そうでなくとも、やけに図々しく頻繁に訪ねてくるようになったとか、何でもいいんです。もし気にかかるような何かが起こったら、そのときは必ず私に連絡してください」

それだけは約束してくれるよう強引に頼み込んで、私はその家を出た。いつもの商店街には戻ったが、店には戻らず、三つ隣の不動産屋へ足を向けた。

「おや、お店、売りますか?」

入ってきた私を認めると、不動産屋はそう言った。もともとは大手の銀行に勤めていたという。バブル時代、華やかな時代の空気と景気のいい父親の言葉に踊らされるまま、彼は銀行を辞めて、店を継いだ。継いだ直後にバブルが崩壊した。おまけにその後しばらくして先代まで急死した。相当に借金が残ったはずだ。

結局、私の人生、親父《おやじ》の尻拭いですわ。

私の父が請け負った先代の葬儀のとき、泣き笑いの顔で、近所の人にそう言っていたのを覚えている。

その借金を返すためだったのだろう。こんなところは売って、都心のマンションにでも、と一時期、近所中に勧めて回り、今でも、商店街で彼の評判はよくない。

「店？　売らねえよ」と私は言った。

「だって、買わないですよねえ？」

「買わないな、そりゃ、まあ」

「だったら何の用です？」

「何の用だってごねるほど、忙しかねえだろうが」と私は言って、パイプ椅子に勝手に座った。

「東小向町《ひがしこむかいちょう》の一軒家、土地は三十坪ちょっとってとこか。売ればいくらになる？」

先日聞いた話によれば、地所は老女のものだという。老女の暮らしそのものは、頼りない昨今の年金を当てにした細々としたものだというが、地所を売れば何千万という単位のお金になるはずだ。悪がきがそこまで狙っているのだとしたら、放っておくわけにはいかない。

「東小向町。どの辺りでしょう?」

不動産屋が出してきた地図から、私は老女の家を探し当てた。

「これ。この辺り」

「ああ、ここですか。前の二丁目辺りですね」

「前の?」

「以前は、小向町一つだったんですよ。それが七年ほど前に西と東に分かれて、住居表示が変わってます」

「ああ、そうなんだ」

「東のここですか。道路付けは悪いですね。三十坪?」

「そんなもん。家があるけど、古いから値段はつかないだろうな」

「それじゃ、いいとこ二千ですかね。急ぎで売るなら、もうちょっと叩かれるかもしれません。更《サラ》にして、そうですねえ、一千八百で出してもらえれば、客はつきますけど」

「一千八百か」と私は言った。

それを担保に銀行から借り入れるとすれば、一千五百。あるいはもっと下か。それにしても一千を割ることはないだろう。老女一人を騙《だま》して、一千万が手に入ると考える輩《やから》が、どこかにいないとは限らない。

「何か出物があるんですか? だったら、うちに紹介してくださいよ。頑張って高く売りますから」

「今んとこ、そういう話じゃないから。悪いな」

不動産屋を出ようとして、私は振り返った。

「あ、それから今年の夏祭り。あんた、清掃担当な」

「今年もですか？」

不動産屋は神経質そうな顔をいっそう神経質に歪《ゆが》めた。

「何でそうやって一番面倒な仕事が」

愚痴《ぐち》を言いかけてから、言っても仕方がないと思ったらしい。不動産屋は乱暴に頷いた。

「はい。ええ。わかりました」

「あのな」

言いかけた私を不動産屋は制した。

「ええ、わかってますよ。森野さんのせいじゃないです。どうせあの魚屋の親父と布団屋の隠居が決めたことでしょう？　私、嫌われてますからね」

最初は正解。二番目も正解。けれど三番目が間違っている。

魚屋の親父と布団屋の隠居が、一番面倒な仕事を不動産屋に割り振るのは、言ってみれば親心みたいなものだ。継いだ当時の言動のせいで、不動産屋を快く思わないものは商店街に多い。その不動産屋が、毎年、夏祭りには、誰もやりたがらない、一番面倒な仕事を引き受けている。その実績が重なれば、商店街の彼に対する印象だって変わるはずだ。口に出すほど気の利いた男たちではないが、彼らがそう考えていることは私にはよくわかった。

あのな、ともう一度口に出しかけ、馬鹿馬鹿しくなってやめた。たぶん、私がそう言ったところで、不動産屋は信じないだろう。どうせ最初から掛け違えたボタンだ。一つ、二つを直したところで仕方がない。どうしても着にくいと思えば、いつか不動産屋のほうで一度脱いでから着直すだろう。

「お前なんてマシなほうだ。安田《やすだ》のオババなんて、今年も出し物担当だぞ」

夏祭り会場には小さなステージも設置され、近隣の住人から出し物を募る。誰か一番手がいないと他の人がやりにくいから、という理由で、毎年、ステージの一番手は商店街の誰かがやることになっていた。ヤスダ洋装店の先代の妻は、去年、そこでマリリン・モンローの真似をして、町中の人の度肝を抜いた。

「あれは好きでやってるんでしょう?」と不動産屋は苦笑した。

金髪のかつらをかぶり、真っ白に塗りたくった顔に、濃いアイラインと真っ赤な口紅を引いたオババの様子を思い出し、私も笑った。

「まあ、人それぞれ、向き不向きがあるって話さ」と私は言い残して、不動産屋を出た。

「どうでした？」

店に戻った私を竹井が迎えた。有吉里子というあの老女のことは竹井には説明してあったが、さすがに竹井も十五年も前の葬儀についてはおぼろげな記憶しかなかった。

「ああ、よくわかんない」と私は言った。「生まれ変わりには会えなかったし、いい奴《やつ》なのかそうじゃないのかもよくわからない」

私は老女を訪問した際の様子をざっと話し、その土地が一千万くらいにはなりそうだという話も伝えた。

「そうですか。ただ、お金目当てにしては、ちょっとねぇ」と竹井は言った。「もっとお金持ちそうな人を狙ったほうが手っ取り早い気がしますけどね」

「それは私もそう思う」と私は言った。「でも、見も知らぬ年寄りに近づこうっていう動機が他に思いつかない」

「まあ、そうですね」

頷いてから思い出したように竹井は言った。

「あ、そういえば、さっき桑田くんから電話がありました。今日は休ませて欲しいそうです」

「ああ」

竹井が許可したのなら、今日も仕事はないということか。月に一度では苦しいが、二度、仕事があればうちの店はそれなりにやっていける。けれど、最後にやった葬儀から、そろそろひと月が経とうとしていた。店の預金残高はイエローゾーンから、そろそろレッドゾーンに入り始めている。

「試用期間中って、桑田に伝えてあったよな？」と私は言った。

「さっきの電話でも確認しました」

「ふうん」と私は言った。

「有休なんて洒落たものがあると思うなというのも伝えました」

「そうか」

「それでも男には行かなきゃいけないときがあるそうです」

「へえ」

「前のバンド仲間のステージの手伝いだとか」

「ああ。また歌うのか？」

「いえ。舞台設営に人手が足りないらしいです」

私は苦笑した。桑田には、葬儀屋に必要な礼儀作法を一通り教え込んではいたが、まだまだ一人でご遺族の前に出せるようなレベルではない。ろうそくの火を息で吹き消そうとしたのは不慣れな人間によくあるミスだとしても、仏壇の鈴《りん》を鳴らして柏手《かしわで》を打とうとしたのには私も慌てた。そんな桑田も、祭壇や受付テントの設営と撤収だけは妙に手際が良かった。得意分野というのは誰にでもあるものだと私は感心したのだが、単にその手の作業に慣れていただけのようだ。

「ああ、それともう一本」

「うん？」

「電話です。文房具屋の息子から」

「あ、ああ」

「また明日にでもかけ直すそうです」

「そう。わかった」

話は終わるはずだった。そこから先、竹井が踏み込んでくることはこれまでなかった。だから、それで話は終わりのはずだった。それなのに、妙な緊張感が私と竹井の間に居残っていた。何か別の話題を。私がそれを見つける前に、竹井が口を開いていた。

「どうするんです？」

静かな問いかけは独り言にも聞こえた。目を向けると、それでも竹井は私を見ていた。

「どうするって？」

「文房具屋です」

竹井が聞くのも無理はない。傍《はた》から見ていたって、私たちの関係はまどろっこしいものだろうし、そのまどろっこしさの責任はすべて私にある。

「どうもしやしないよ」

けれど、なぜ、今、聞くのか。訝《いぶか》った私の視線を竹井は避けた。

「悪い男じゃないですよ」

デスクの上の雑誌に目を落としながら、竹井はやはり独り言のように言った。

「考えもなく生きているほど頭が悪いわけでもない。頭で考えたことに押し潰されるほどやわなわけでもない」

ええ、あれで中々いい男です、と竹井は言った。

「柄でもない」と私は言った。

「娘から葉書がきました。向こうで元気にやっているそうです」

竹井の娘は北海道の大学に進んでいる。

「三年に上がったところか」

変わった話題に少しほっとして、私は言った。

「ええ。畜産科」と竹井は笑った。「まったく、一度は死にかけた娘がもう二十歳ですよ」

覚えてますか?

そう問いかけるように竹井は私を見た。

「死にかけたって」と私は笑った。「勝手に死にかけさせただけだろう?」

私が小学校五年のときだ。竹井の奥さんから店に電話が入った。竹井はいなかった。電話を受けたのは、父だったのか、母だったのか。

二歳の娘が痙攣《けいれん》を起こして病院に担ぎ込まれた。子供がよく起こす熱性痙攣とはどうやら症状が違うようだ。とにかく、すぐ病院にきて欲しい。

まだ携帯の普及が今ほどではなかった時代だ。従業員が総出で竹井を探しに出かけた。けれど、竹井は見つからなかった。やけに慌《あわただ》しげな店の様子に、私は住居になっている二階から様子を見に降りていった。

「竹井を知らないか？」

私の肩を父がつかんだ。私は首を振った。知るはずがない。父も混乱していたのだろう。いや、その場にいるすべての人が慌てていた。父も、母も、他の従業員も、知っていた。人がときとして簡単に、あっけないほど簡単にその一線を越えてしまうことを。彼らの頭には小さな、悲しいほど小さな、棺《ひつぎ》にはあるまじき大きさの棺が浮かんでいたはずだ。

竹井の奥さんからは何度も電話がかかってきた。

まだ痙攣が治まらない。口から泡を吹いている。意識がない。それでも助けてって言うように目が泳いでいる。あの人は、どこですか？

悲鳴のような声は送話口から私の耳にも聞き取れた。

竹井がふらりと店に帰ってきたのは、最初の電話から小一時間も経ったころだったろうか。

「どこへ行ってた?」

叱責するような父の声に竹井は驚いたように何かを答えようとした。

「ああ、もういい。とにかく病院だ。病院へすぐに行け。タクシー、使え。娘さんが、大変だ」

父の言葉に竹井の顔色が変わった。父は手早く事情を説明すると、タクシーだ、タクシーを呼べ、呼んだほうが早い、と母に向けて怒鳴った。母がタクシー会社へ電話をした。タクシーはほどなくやってきた。青ざめた竹井が店を出ようとしたときだ。また奥さんから電話がかかってきた。竹井が電話を代わった。誰もが息を詰めて竹井の表情を見ていた。シンとした店の中に、けれど今回の電話からは悲鳴のような奥さんの声が漏れることはなかった。

「そうか。わかった」

静かに答えて電話を切った竹井は、そのままどすんと椅子に腰を落とした。

「竹井」

父がおずおずと声をかけた。

「タクシー、待ってるぞ」

竹井が首を振った。

「タクシーは、もういいです」

「もういいって、お前」

あうっと母が息を吐いて、口を手で覆った。

そんな、と父が呟いた。

従業員の誰もが言葉を失った。

重苦しい沈黙が店内を包んだ。

振り子時計が時を打った。

「私が代わるから」

鎮魂の鐘の音のようなその音とともに、私は叫んでいた。

「私が竹井の子供になるから」

今、考えればひどい言葉だ。幼い娘を失ったばかりの父親に、自分がその子の代わりになるなど、よく言えたものだと思う。けれど、そのときの私は本気だった。少なくとも小学生の私なりの全身全霊をかけた本気だった。

私は椅子に座ったまま放心している竹井の背中に手を置いた。

「今日から私、竹井の子になる。だから」

竹井がゆるゆると私を振り返った。それから、泣き声を堪《こら》える母と、言葉をかけあぐねている父や他の従業員を惚《ほう》けたように見渡した。

「あ、ああ」

「竹井。早く娘さんのところへ行ってやれ。な、タクシーも待ってるし」

父はそう言ってから顔を背《そむ》け、うう、と嗚咽《おえつ》を嚙み殺した。

「あ、いや、違います」と竹井が言った。「大丈夫です。大丈夫なんです。持ち直しました。死んでません」

「え?」と母が顔を上げた。

「ああ、だから、もう大丈夫みたいだって、そういう電話です。病院へは行かせてもらいますが、電車で行きます」

「はあ?」と父は竹井に向き直った。

「ええ」と竹井が頷いた。

「てめえ、この野郎」

父が泣き笑いの顔で竹井の背中をバンバンと叩き、そのついでのように私の頭をばしばしと叩いた。

「ややこしいんだよ、お前の顔は。大丈夫なら大丈夫だったって顔しやがれ」

「ああ、はあ、すみません」と竹井は言った。「そうしていたつもりだったんですが」

「うるせえよ。もう、さっさと行きやがれ。タクシーの運ちゃんには自分で詫《わ》び入れろ」

「ああ、はあ、それじゃ、行ってきます」

立ち上がって歩き出そうとした竹井は、不意に思い直したように振り返り、私の前にしゃがみ込んだ。

「お嬢さん。ありがとう」

丁寧に頭を下げた竹井は、それからくしゃくしゃっと私の髪を撫《な》でた。竹井に頭を撫でられたのは、それがたぶん最初だった。それがたぶん最初で、間違いなくそれが最後だった。

「あのときから、社長は私の娘です」

竹井の声に私は顔を上げた。竹井はいつも通り、表情の読みにくい顔で雑誌に目を落としていた。

「先代に取って代わるつもりはありませんがね、私はいつだって、社長のもう一人の父親のつもりでいますよ」

「そう」と私は言った。「そうか」

「それで、そのもう一人の父親は、その男を認めています。あいつになら、娘を預けてもいい。そう思っています」

竹井は雑誌のページをめくった。その目が誌面を追っていないことくらい私にだってわかった。

「それでも、そうじゃなくてもいいなとも思ってるんです」と竹井は続けた。「このまま娘はどこにも嫁に行かず、ずっと自分と暮らして、それでもいいじゃないかとも思ってるんです」

父親ってやつは、そういうものですよ。

竹井は言った。

「娘の幸福を願いながらね、その一方ではいつまでも自分の手元に置いておきたくもある。面倒なものです」

「そう」と私は言った。「そっか」

「ええ」と竹井は頷いた。「そうなんです」

「うん」

竹井の目が誌面を追い始め、私は取り立てて用もない葬儀用の生花のパンフレットを眺めた。

たぶん、先代だってそう言いますよ。

竹井はそう言っているのだろう。

どちらでも好きにすればいい。どちらを選択しても、父親を裏切ることなどにはならないと。だからどちらかに思いがあるのなら、それを実行に移したほうがいい。

私は引き出しにやりかけた手を止めた。その中には、神田の電話番号が記されたメモがある。今ならまだ寝ていないだろう。

やあ。

電話をかけた私に、神田はいつも通りの挨拶を送って寄越すだろう。なるべく気軽そうに。私が変なプレッシャーを感じなくても済むように。

不意に目の前のパンフレットを投げつけたくなった。海の向こうにいる神田にも、デスクの向こうにいる竹井にも。そこらにあるものを手当たり次第に投げつけて、叫びたかった。

お前ら、優し過ぎるんだよ。私のことなんか気にするなよ。無視していいよ。忘れていいよ。お願いだから、構わないでよ。

許されることなら、そうわめきたかった。けれど、もちろん、そんな甘えた真似はできなかった。

「竹井」

引き出しにかけた手を戻して私は言った。

「ありがとう」

竹井が私を見返した。

「よしてください」

にこりともせずに竹井は私の意味のない言葉をやり過ごした。

演歌とブルースについての桑田の講釈が続いていた。桑田によればそれは、民族的魂のヨリシロとして同義の音楽であり、三味線からギターに楽器を持ち替えた彼の親友は、決して演歌的魂を失ったわけではなく、演歌的魂を発展的に変遷させて今はブルースを演奏しているだけとのことだった。

「あいつもいつか演歌に帰ってきますよ。昨日のステージも、ソウルのある、いい演奏でした」

「そうか。それはよかったな」

私は最近業者から勧められた棺のカタログに目を落とし、頷いた。一昔前までは国産が当たり前だった棺も、近年では専ら中国製が幅を利かせている。運送費を考えてもそちらのほうが安くつくが、まだ品質にばらつきが多いと聞き、うちの店では遠慮していた。それだけでも時代が変わったと竹井と話していたのだが、今度のお勧めはもっとすごかった。注文すると、中国から直接、ばらばらのパーツだけが送られてくるという。必要なときには店で組み立てろということなのだろう。確かに価格はもっと安くなるし、何より場所を取らない。うちのように大して大きな倉庫を持つわけではない店にとってはありがたい商品だと言えるかもしれない。けれど、ご遺体を最後に眠らせるその場所が素人の手製だというのは、私には気が引けた。

たぶん、本当に時代が変わったのだ。

カタログを脇にやって、私はそう思った。この先、葬儀屋も、前田さんの息子さんのようなドライな考え方をする人間が増えていくのだろう。それを嘆くのはきっと古い時代の人間で、彼らが間違っているわけでは、きっとない。葬儀は儀式。そこに心を込めるのは遺族のやるべきことであって、葬儀屋はその心を入れる形だけをそつなく作ればいい。きっと、そういうことなのだろう。

「なあ、桑田」

ロバート・ジョンソンだとか、バディ・ガイだとか、私の知らない人の名前を挙げながらまだ続いていた桑田のブルースの講釈を私は遮った。

「魂ってあるかな?」

「ありますよ」と桑田は力強く頷いた。「もちろん、あります」

「あるとしたら、どの辺だろう?」

「どの辺て、そりゃ」と桑田は胸をドンと叩いた。「この辺す」

「ああ、その辺か」と私は言った。

「もちろん、ここっす」と桑田は言った。

「そうだよな」

「何ですか？」

「ああ、いや。あるならいいんだ。それでいい」

「はあ」

桑田が曖昧に頷いたとき、私のデスクの電話が鳴った。それを期待していたのか、あるいは恐れていたのか。デスクのディスプレイにヒョウジケンガイの文字を探した私がいた。けれど、そこに浮かんでいたのは普通の電話番号だった。ふっと緩んだ気をもう一度張り直して、私は受話器を取った。

「はい。森野葬儀店です」

言葉ははっきりと伝わるように、けれど力強くなく。事務的であってはならないけれど、変に感傷的であってもいけない。この受け言葉だけでも、自分なりに納得できる言い方ができるようになるまで、かなり時間がかかった。けれどそれは葬儀の依頼の電話ではなかった。

「あ、あの私」

名乗られるまでもなかった。有吉里子。あの老女の声だった。

「きましたか？」

例の悪がき、と言いかけて、どうにか言葉をすり替えた。

「例の、あの、故人の生まれ変わりの」

「ああ、いえ。それが、きたというか、連れてきたというか」

ああ、どうしましょう、と老女が電話の向こうで言っていた。何かにひどく慌てているようだった。

「とにかく、そこにいるんですね？　すぐに行くので待っててください」

「ああ、ええ。お願いします」

私は受話器を置き、上着を着込みながら、桑田に声をかけた。

「お前、一緒にこい」

「仕事っすか？」

勢いよく桑田は立ち上がった。

「仕事じゃないから、お前だ」と桑田に言い、「例の家」と竹井に言った。

そんなあ、と情けない声を上げた桑田を連れて、私は店を出た。

十五歳と言えば、もう子供ではない。体力勝負になれば、相手は男だ。私がかなうわけもない。そういう点で桑田が特別に役に立つとも思えなかったが、万一のとき、老女とわが身を守る盾くらいには使えるだろう。

チャイムに出向いてきた老女は、声を潜めて私と桑田を家の中に招き入れた。この前と同じ六畳の和室で、私はその生まれ変わりと対面した。

「あぁっと、桑田。お前、もういいや」

その生まれ変わりを見て、私は言った。

「あ、はい?」

「うん。もう帰っていい」

「ええと、え?」

「ご苦労さん。竹井と一緒に留守番しててくれ。ほら、お前、まだ覚えなきゃいけないこと、いっぱいあるし」

「え? あ、そうっすか?」

狭い和室だ。体力勝負になることがないのなら、事情をろくに説明もしていない桑田はいるだけ邪魔だ。仮に体力勝負になったところで、今の彼なら私でもどうやら勝てる。

桑田が家を出て行く間にも、老女は横たわる彼の隣に座り、その額のタオルを換えていた。つるっとした男前。老女は言ったが、今の彼にその面影はない。ひどく殴られたのだろう。頬が赤黒く腫れていた。右目の部分には笑えるくらいにくっきりと青たんがついていた。目に見えない部分もやられたのか。打撲《だぼく》による発熱だろう。

「どうしたんです、これ?」と私は小声で老女に聞いた。

「駅から家に戻る途中に公園がありまして、そこで何人かにひどく殴られていて。そのときは気づかなかったんです。ただ、あまりに様子がひどいから、私、ベルを鳴らして」

「ベル？」

「護身用なんですか？　年寄りは持つようにって自治会で配られまして。あの、大きな音の出る」

「ああ、はい」

「それを鳴らして、誰かきてって、私、叫んで。そうしたら、殴っていた子たちは逃げていって、私、慌てて駆け寄ってみたら、そうしたら」

そこに生まれ変わりが倒れていた、ということか。

「それで、取り敢《あ》えずうちに寝かせようと思って連れてきたんです」

「それは大変でしたね」

少年が私と老女とのやり取りに反応することはなかった。頭を強く打ったりしたのではないだろうか。それを案じて顔を覗《のぞ》き込んでみたが、どうやらただ眠っているだけのようだ。穏やかな寝息が聞こえた。

「病院は？」

「大丈夫だからって。さっきまでは話せていたんです。医者も警察も誰も呼ばないでくれって言われたんですけど、私、どうすればいいのかわからなくて」

それで少年が眠りに落ちるのを待って、私に電話してきたのか。

この少年が生まれ変わりなのかどうかは、この際、問題ではない。どう生まれついたにせよ、この未成年者にはどこかに保護者がいるはずで、誰も呼ぶなと言われたところで、常識的に考えれば、その保護者に連絡しないわけにはいかない。

私は布団の横に畳んで置かれていたパーカーを手にした。ポケットを探ってみたが、何枚かの硬貨が出てきただけだった。せめて制服でも着ていてくれれば学校だけでもわかるのだが、日曜日とあっては仕方がない。

そう考えて、ふと思い当たった。

少年はいつも週末に訪ねてきたという。それは、制服から学校がばれ、身元が明かされるのを恐れたのではないか。

再び少年の顔を覗き込んでみた。短く揃《そろ》えられた髪に不自然な色は入っていない。耳にピアスもなければ、その痕《あと》もなかった。そうかといってもちろん、髪も染めず、ピアスもしてなければ、少年が「いい子」であると断じるわけにはいかなかったし、仮に「いい子」であったとしたところで、「いい子」が性質《タチ》まで「いい子」かどうかはわかったものではない。私がこの年頃のときだって、警察沙汰になるような事件を起こすのはだいたい「いい子」たちだった。

不意に少年が目を開けた。ぐう、と苦しそうに呻《うめ》いた彼は、やがてぱちくりと目を瞬《しばたた》かせた。二、三度瞬《まばた》きをして、どうやら目の前にいる女が幻覚ではないとわかってくれたらしい。少年が体を起こそうとした。

「駄目ですよ、寝てないと」

「何てこたあねえよ」

自分を押し止《とど》めようとした老女の手を、安心させるようにぽんぽんと叩くと、半身を起こした少年は青く腫れている瞼《まぶた》の下から私を睨《にら》んだ。

「姉ちゃん、誰だ？」

生まれ変わり、と私は思った。その言葉遣いも、老女に対する仕草も、十代の少年のものではなかった。それなのに、この少年がやると、それは妙にしっくりときていた。

「森野と申します」

あなたの、と言いそうになって、私は慌てて、こちらの、と言い換えた。

「こちらのご主人の葬儀をやらせてもらった葬儀店のものです」

「俺の？」

「ああ、いえ。ですから、こちらのご主人の」

「そうかい。それは世話になったな」

少年は顔をしかめながら私に向き直り、胡坐《あぐら》をかいた姿勢で軽く頭を下げた。

「はあ、ええ、どうも」と私も頭を下げ返した。

「で、何だって、葬儀屋の姉ちゃんがここに？」

「あの、それは」

「私が呼んだんです。一人ではどうしようもなかったから」

その声色に私は老女を見た。それはどこか甘えるような、その意にそぐわないことをしてしまったことを詫びるような、そんな声色だった。まるで妻が頼りにしている夫にかけるような。

「ああ、そいつは、また」と少年は少し笑い、痛みに顔をしかめた。「二度も世話になっちまったな」

「いえ。たいしたことは何も」

そう言ってから、すっかり少年のペースに乗せられてしまっている自分に気づいた。私は正座していた足を崩し、少年と同じように胡坐をかいた。

「ああっとな、それで」

相手はまだ十代だと自分に言い聞かせながら、私はわざとぞんざいに言った。

「親御さんに連絡したいんだけど、電話番号は？」

「親？　ああ、いいんだよ。そんなのは」

彼は手を振った。その仕草でまたどこかが痛んだようだ。また顔をしかめた。

「そうもいかない」と私は言った。「そんだけボコられたんだ。このままなかったことにはできないだろう？　相手は？　同級生か？」

「いいって。相手はガキなんだからよ。ムキになるほどの話でもねえや」

「いじめか？　先生や親にはちゃんと相談してるのか？」

「相談って、おめえ、そんなもん」

　話にならないというように少年は首を振った。

「ここまでボコられりゃ、もう立派な傷害だ」と私は言った。「この辺の所轄に知り合いの警官がいるんだ。何なら紹介するぞ。お前、前にもボコられたりしたことがあるんじゃないか？　それだけじゃなく」

　金まで要求されたりしてないか？

　そう言いかけて、私は言葉を飲み込んだ。それが仮にいじめだったとすると、ここまでボコボコにされる少年が、同級生たちから法外な金銭を要求されたとしてもおかしくない。だから、ではないのか？　だから、この老女から金を引き出そうと、少年は近づいた。

「それだけじゃなく？」と少年が聞いた。「何だい」

「ああ、いや、だから、もっとひどいこととかもされてないか？」

「別にされてねえや。大丈夫だよ。俺、ほら、まだ若いしな」

　最後の言葉は老女に向けられていた。それは二人の間ではジョークらしい。少年と老女が顔を見合わせて微笑み合った。少年がそう見せているのか。私が勝手に錯覚しているのか。祖母と孫ほどの開きのある二人のその様が、私の目には本当に長年連れ添った夫婦のように見えてしまった。

「里子、迷惑かけたな。そんじゃ、そろそろ帰るわ」

少年は顔をしかめながらも立ち上がった。

「そんな、無理ですよ」

よろけた少年を老女が支えた。

「何、どうってことねえよ」

少年は老女の肩をぽんと叩くと、歩き出した。

「それじゃな、姉ちゃん」

「ああ、いや」と私は立ち上がった。「送る」

「あん？」

「家まで送る」

「いいよ。うちぐらい、一人で帰れるや」

「そうは見えないけどな」と私は言った。「それとも、そうされると何かまずいことでもあるのか？」

「まずいって、おめえ」と少年は言って、老女をちらっと見てから首を振った。「好きにするさ」

それじゃ、またな、里子。

老女に手を上げた少年とともに、私はその家を出た。

少年の歩みは遅かった。家から出たときは、それでも老女を気遣ってたいしたことのない振りをしていたのか。

「ああ、もう、いいや。姉ちゃん。先、行け」

駅まではまだだいぶ距離があった。道端にしゃがみ込んだ少年を私は見下ろした。あるいはこちらが演技なのか。私を先に行かせるために、殊更《ことさら》つらそうな振りをしているのか。

「タクシー、拾うか？　姉ちゃんがおごってやるぞ」

私を見上げた少年はふんと鼻を鳴らして、よっこらしょと立ち上がり、またゆっくりと歩き出した。

「相当、嫌なんだな」と私は言った。

「何がだよ」

「私に家を知られるのが」と私は言った。「名前くらいは聞いてもいいのか？」

「里子に聞けよ。あいつには、ちゃんと今の名前も教えてある」

「住所は？　連絡先は？　それも教えてるか？」

少年は立ち止まり、私を睨みつけた。

「あんたは何なんだよ？」

「だから、彼女の連れ合いの葬儀をした葬儀屋の人間だよ」

「それはわかってるよ。それで、狙いは何だ？」

「狙い？」

「そんな風に里子に取り入って、それで何を狙っている？　財産か？」

「おい、こら、ちょっと待て」と私は言った。「私は里子さんに相談されたんだぞ。相談されたから気になって、今日だって様子を見にきた。いきなりやってきて、死んだ連れ合いの生まれ変わりだとほざいているお前とは違う。そこらの人に聞いてみろ。どっちが疑わしいかって言えば、お前のほうが疑わしいんだよ。お前こそ狙いは何だ？」

「狙い？」と少年は聞き返し、また億劫《おっくう》そうに歩き出した。「狙いなんて何もない。ただ里子に穏やかな余生を暮らして欲しいと思っている。それだけだ」

「財産は？」

「興味ねえよ、そんなもん」

「興味ねえって、お前が生まれ変わりなら、それはお前の財産だろう？　お前が貰《もら》い受けるつもりじゃねえのか」

「よお、姉ちゃん」と少年は言った。「あんまり俺を安く見るなよ。俺の財産は、里子のもんだ。里子の余生のために遺したもんだ。里子が死んだらしかるべきところに寄付する。俺が死んだとき、里子にそう遺言してるんだよ。里子だってそうするつもりだろう」

そこで殴られていたのだろう。公園の脇を通り過ぎた。不穏な人影はすでに見当たらなかった。私は少年に寄り添うでもなく、ただその隣を同じペースでゆっくりと歩いていた。遺言の話が本当だとするのなら、少年の狙いが何なのか、見当もつかない。そもそも故人の記憶をどうやって少年が知ったのか、それもわからない。

「おい。もういいよ。行けよ」

駅前までくると、少年は言った。商店街とは反対側の駅前には、商店街の側より多くの人が行きかっていた。こちら側には大きなスーパーもあり、大きくはないが書店も、ファストフード店もある。

「家まで送ってやるよ。電車か?」

少年は私をしばらく睨み、それからにっと笑った。

「泣くぞ」

「はあ?」

「ここで泣くぞ。知らないお姉ちゃんに乱暴されてます。誘拐されたんです。閉じ込められて、私のペットになりなさいって言われたんです。首輪をつけて、ずっと閉じ込められていたんです。どうか誰か助けてくださいって泣くぞ」

やってみろよ、と言いかけて、言えなかった。明らかに打撲のあとが残る少年と私とを道行く人はそれでなくても不審そうに見比べていた。駅の隣には交番があり、中年の警察官が先ほどから私たちのほうをちらちらと見ていた。

私の躊躇《ちゅうちょ》を悟ったのだろう。少年が意地悪く笑った。

「片やどう見てもいたいけな少年と、片や見るからに物欲しそうな年増女《としまおんな》だ。何なら、どっちが疑わしいか、そこらの人に聞いてみろ」

年増女？

ぐっと奥歯を噛み締めて堪えたのは、交番から少年に視線を返す途中で、書店の隣のCDショップが目に入ったからだ。

「あんまりふざけた真似するなよな」と私は言った。「里子さんに何かしたら、私が許さない」

「こっちの台詞《せりふ》だ」

少年を一つ睨みつけてから、私は踵《きびす》を返した。十分に距離を取ったところで振り返ると、少年は駅の改札に向かっているところだった。私は小走りにCDショップへと駆け込んだ。

「お前は偉い」

ヘッドフォンを取り上げて私は言った。何かを試聴していたらしい。突然、耳からなくなったヘッドフォンに、へ、と間の抜けた声を上げた桑田が振り返った。

「ああ、いや、これは違いますよ」

「あん？」

「いや、別にロックとかね、ポップスとか、売れ線とか、そういうことじゃないですよ」

私はそこにある試聴用のCDプレイヤーを見た。中身はヒットチャートで名前をよく見かけるミュージシャンの新譜らしかった。

「ああ、うん。あの、でも、私、社長。で、お前、社員な。しかも試用期間中」

「はい。ええ」

「こういうときには、何を聴いていたかとかじゃなく、仕事をサボっていた言い訳をまず考えよう」

「ああ、はい。そうっすよね」

エヘへと気持ち悪く可愛《かわい》く笑った桑田の肩を私はつかんだ。

「ああ、それは、まあ、あとでいいや」

私は桑田の背中を押して、CDショップを出た。

「駅の中にダッシュ。で、怪我《けが》をした男の子、さっき和室で寝てた、あれ、な。中にいるから。あとをつけろ。どこに帰るかがわかればいい。ぼろぼろでろくに歩けもしない状態だから簡単なはずだ」

「は？　え？」

「ほら、ダッシュ」

私がバンと背中を押すと、桑田はそれでも駅に向かって小走りに駆けて行った。少年の歩くペースから考えてまだ間に合うはずだ。

先に店に戻って待っていると、一時間ほどで店の戸が開いた。

てっきり桑田だと思って腰を上げかけた私を佐伯杏奈がちょっと驚いたように見返した。

「あ、ああ」と私は言った。

「あ、うん」と佐伯杏奈が言った。

「どうかした？」

何かを言いかけた佐伯杏奈の後ろから桑田が店に入ってきた。

「つけられたか？」

「ああ、ええ、はい」

佐伯杏奈をちらっと見てから、桑田が頷いた。佐伯杏奈に目を向けると、彼女は自分の顔の前で手を振った。

「あ、私はいいの。ちょっと通りかかっただけだから」

「ああ、ごめん」と私は言った。「今、取り込んでて」

いいの、いいの、とまた手を振って、佐伯杏奈は店を出て行った。何か話があったようだったが、今は桑田の報告のほうが先だ。

「それで？」と私は桑田に聞いた。

「はい。電車に乗って、隣の駅で降りて、駅前のすぐのところにある写真屋に入りました」

「うん」

「俺はずっと入り口を見張っていたんですけど、中々出てこなくて、それで三十分くらい待ってから、俺も中に入ってみました」

「うん」

「そうしたら、いませんでした。四十半ばくらいの店の男がいただけで」

「はあ？」と私は言った。「要するに、逃げられたのか？」

「ああ、いえ、でも、だって、入り口なんてそこしかないですよ。だから、たぶん、この子供じゃないんですかね。店の奥が家になってるみたいでした」

「ああ」と私は頷いた。

写真屋というから、咄嗟にプリントを専門にするチェーン店のようなものを思い浮かべたが、そこは店舗と住居が一緒になっている、うちのような古い商店ということか。

「店を出て、裏通りに回ってみたら家の玄関があって、そこにはオガタっていう表札がかかってました。家族の名前も書いてあって、ああ、これです」

桑田は私が支給した黒い表紙の手帳を出して、そのページを開いた。緒方宣夫、聡美、満、仲江、春人。

「宣夫と聡美の名前の表札があって、その下に、満、仲江、春人の表札がありました」

その書き方からするなら、三世代なのだろう。宣夫と聡美がもともとの世帯。その子供夫婦が満と仲江。店にいた四十半ばの男というのが、満だろう。仲江が妻。あの少年はその子供。名前はハルトか、ハルヒトか。

「あの、これでいいっすか？」

桑田がおずおずと聞き、私は頷いた。名前と住所。さしあたってそれがわかれば十分だ。

次の月曜日、私は何食わぬ顔でその写真館を訪ねた。少年が中学生か高校生かは知らないが、午前中ならば家にいることはないだろう。

隣駅というのは、知っているつもりでいて、案外知らないものだ。考えてみれば、その駅に降り立ったのはもうずいぶん前のことだ。

『オガタ写真館』

歩道に突き出した青いビニールの庇《ひさし》には白抜きでそう書かれていた。人の店のことを言えた義理ではないが、古ぼけた店だった。かつては商店が軒を連ねていたように思う。

けれど、今、店の向かって右隣には大きなマンションがあり、駅側に当たる左隣にはテナントビルが建っていた。建てる際に、周囲をまとめて買収したのだろう。バブルの時代だろうか。そのどちらも真新しいものではなかった。背の高い二つのビルに挟まれ、首をすぼめるようにその古びた写真館はあった。

店の入り口の左右には、かつての仕事なのだろう。何枚もの写真が飾られていた。お見合い用と思われる斜め四十五度からの女性の写真。三世代が並ぶ家族写真。お宮参りだろうか、小さい赤ん坊を抱いた夫婦の写真。成人式を迎えたらしき和装の女性の写真。店構えを前に従業員たちが並んだ開店祝いと思《おぼ》しき写真。そのどれもが、おかしいくらいに古びたものだった。店にしてみれば宣伝のつもりなのかもしれないが、これでは、もう長い間仕事がないんです、と喧伝《けんでん》しているようなものだ。

薄暗い店内を見透かし、中に店主らしき人がいるのを確認して、私はその店のドアを開けた。

「いらっしゃい」

桑田の言った四十半ばの男だろう。中途半端に伸ばした髭《ひげ》は、写真家という芸術家的な、あるいは職人的な職業を主張したつもりなのかもしれないが、生真面目《きまじめ》そうなその顔立ちにはあまり似合っていなかった。少し吊《つ》り上がった目の形と薄い唇に少年の面影が重なった。

「ああっと、ここは、写真、お願いできるんですよね？」

店内にも何枚もの古びた写真が飾られていた。それを見る素振りをしながら、私は聞いた。

「ええ。撮りますよ」

店主が背後を振り返った。そこは小さなスタジオになっていて、カメラの載っていない三脚と被写体の座る丸椅子が置かれていた。

「お見合い写真ですか？」

「ああ、ええ」

就職用の写真と言うつもりできたのだが、どうせ嘘ならどちらでも構わない。

「撮りますか？」

「ああ、いえ」とそちらへ向かいかけた店主を私は引き止めた。「この格好では」

黒いパンツに白いシャツ。いつもの仕事着だ。仕事が舞い込めば、それに黒いジャケットを着込んで出かける。今、羽織っているのは薄手のグレーのジャンパー。

私の格好を見て取って、店主も苦笑した。

「それはそうですね。ご予約なら承りますが？」

「ええと、お値段はいくらくらいになりますかね？」

写真の大きさやら、台紙の種類やらを説明する店主に相槌《あいづち》を打ちながら、私は目当ての写真を探した。それは、店主の背後の壁にかけられていた。

「わかりました。では、また後日、お願いに上がります」

私の答えは店主を失望させたようだ。

「そうですか」

がっかりしたように言って、店主は台紙のサンプルをしまった。

「あれ、ご家族ですか？」

店頭や店内に飾るとなれば、被写体の許可がいるだろうし、これだけの写真があるのだ。身内の写真がないほうがおかしい。思った通り、それはあった。店にある写真の中では、比較的新しい部類に入るだろう。それでも、五、六年は前か。店主とその妻。まだ子供のあの少年と、それから老人とその連れ合いとが、その写真には収まっていた。

「ああ、ええ。あれもうちで撮ったものでね。セルフタイマーでしたが、うちのカメラですよ」

写真を壁から外して、店主は私の前に置いた。

「綺麗《きれい》に撮れてるでしょう？　国産のレンズでは、中々こうはいかなくて」

カメラの薀蓄《うんちく》をしばらく聞き流し、頃合を見て、私は聞いた。

「息子さんがいらっしゃるんですね」

「ああ、ええ。これはだいぶ前ですから、もう中学三年になりますが」

「中学は地元ですか?」

「え?」

「ああ、いえ。私も近くのものですから、ひょっとして同じ中学かと思って」

「ああ。アザ中です」

あざみが丘中学。隣駅に住む私とは学区が違うが、名前くらいは知っていた。

「ああ、アザ中」と私は笑った。「私、ムカ中です」

「あ、あっちですか」

そう略される私の母校も知っているらしい。店主は笑った。

「あそこ、今、荒れてるんですって?」

「ああ、そうなんですか?」

「いや、まあ、今はこの辺の中学、どこもそうなんですかね。アザ中も」

「荒れてるんですか?」

「ああ、ええ。うちのも昨日、青たん作ってきましてね。本人は、友達とふざけていて、たまたま肘が入っただけだって言ってるんですが」

言葉を濁すのも無理はない。昨日、帰った少年の顔には、たまたまではあり得ない打撲の痕が残っていたはずだ。

「いや、学校に相談して越境させるっていうのも考えたんですがねえ。どこの中学も落ち着きがないみたいだし、それに、ほら、もう三年ですから、受験も近いし」

誰かに吐き出したかったのかもしれない。店主は愚痴をこぼすようにそう言った。

「変に相談して、内申なんかに響いてもあいつが可哀想《かわいそう》だし、あいつも親には何も言わないし」

「ああ。それは大変ですね」

「まったく、困ったもんですよ」

親が越境まで考えるというのなら、少年はやはり学校でいじめか、それに近い仕打ちを受けているのだろう。とするなら、老女に近づいた目的が金だと考えるのも、さほど突飛な考えではないはずだ。遺産云々《うんぬん》は大げさにしても、小遣いではまかないきれない金を老女にたかろうとしている可能性は大いにある。

ああ、つまんないこと喋《しゃべ》っちゃって。

店主はふと我に返ったように言った。

「すみませんね、どうも」

「ああ、いえ」

写真から少年の話題だけを取り出したのでは、何かを勘ぐられるかもしれない。店主の様子から、その心配はなさそうだったが、念のために私は話を逸《そ》らしておいた。

「こちらは、お父様とお母様ですか？」

「ああ、ええ、そうです。こっちが母親で去年亡くなりました。こっちがうちの親父ですわ。もともとこの店を作ったのが、親父でしてね。私は二代目です」

「ああ。もう隠居なされて？」

「隠居というよりは、あれですわ」

店主は自分のこめかみ辺りをこんこんと指先で叩いた。

「ちょっとこっちにきちまいまして。家ではどうにも面倒が見切れなくなりましてね」

介護施設へ預けたということだろう。

「ああ、それはお気の毒に」

「いや、まあ、ああなりゃ、お気の毒も何もないですわ。本人は、むしろ幸せそうでね。預けてもう二月ほどになるんですが、もっと早く預ければよかったってうちのとも話してますよ」

ああ、いや、どうもつまんないことばっかり喋り過ぎるな、と店主は苦笑した。

「たまのお客さんだったんで、口ばっかり動いちゃって」

どうもすみませんねえ、と頭を下げた店主に、それじゃまたご連絡しますと返して、私は店を出ようとした。が、ドアの横に掲げられた写真に足を止めた。そこには、ちょっとびっくりするくらいの綺麗な女性が写っていた。見合い写真なのだろうか。褪《あ》せたモノクロの写真の中から、椅子に腰掛けた洋装の女性が、しっとりとこちらを見ていた。

写真そのものの様子や女性の格好からするなら、かなり前の写真のようだ。

「誰か、女優さんですか?」

私は店主を振り返った。

「ああ、それ。いや、わからんのですわ。親父の撮った写真でして。親父を預けたあと、部屋を整理したら出てきたんです。あんまりにも綺麗な人だったから、勝手に飾らせてもらってるんですけどね。昔の女優さんなんですかねえ」

「そうですか」

本人の許可も得ず飾っていいものだろうかとは思ったが、これを飾らないで何を飾るというくらい美しい人だった。それに写真の古さを考えれば、すでにその人が亡くなっている可能性も高い。それでも店先には飾らず、店内に向けているのは、店主の良心の表れだろう。腕の良《よ》し悪《あ》しはわからないが、この店主はきっと生真面目な、かっちりとした写真を撮るのだろう。騙した後ろめたさもあるし、将来、遺影にするために、ここで写真を撮っておけ、と商店街の老人たちに勧めてみてもいい。

そんなことを考えながら、もう一度店主に挨拶し、私はその店を出た。

一列に並んだメンバーたちに、私は満足した。今の私の条件に、これほど合っている男たちもそうはいないだろう。取り立てて強そうには見えない。けれどロクデナシ感は満載だ。その体から溢《あふ》れ出ている。滲《にじ》み出ている。周囲にたゆたってさえいる。しかし、それにしても……。

「お前ら、本当に売れなかったのか?」

軍曹を前にした新兵のように一列に並んだ彼らの、その一番端にいた桑田に私は聞いた。それが本当に不思議だった。

「それは、はあ。さっぱり」と桑田は頷いた。

「ふうん」と私は言った。

これがステージに上がり、演歌を歌うのだ。上手《うま》いとか下手《へた》とかではなく、それはもうそれだけで立派な一つの芸ではなかろうか。たとえ音がなくたって、私なら十分笑える。

「それで、合格っすかね?」

桑田が私に聞いた。

「合格だ」と私は頷いた。「十分合格だ」

よし、と爆発した紫色の髪の男がガッツポーズをした。その横でアフロとモヒカンとが拳をぶつけ合っている。

「ああ、いや、何やるか、だって、まだ知らないだろ?」と私は聞いた。

「何でもいいんす」と桑田が一歩前に出て、私の両手を取った。「俺たち、初めてなんす」

「は？」

両手を大きく上下に振られるまま、私は聞き返した。

「合格したの、初めてなんす」

「はあ」

「だから、何でもいいんす」

ぐっと一人で感動を堪えていたスキンヘッドがぴょこんと頭を下げた。

それにならって、すべてのメンバーが私に頭を下げ、それぞれの言い方で、ありがとうございます、と言った。

「あーざーっす」

「ああ、いや、そこまで言われるほどのことでも」

私は言った。日給三千円プラス交通費で使えると勝手に弾《はじ》いていたのだが、もう少し値を上げてやらなければ、どうやら悪いみたいだった。

「あの、社長」

一列に並んだ彼らを言葉もなく眺めていた竹井が初めて口を開いた。

「あれ、本当にやるんですか？」

「うん。やる」と私は言った。

「気が進みませんが」

「わかってる」と私は言った。「私だって進んでいるわけじゃない」

「ああ、それはそうでしょうが」

そうですか、本当にやりますか、と竹井は言った。


ただでさえ狭い車内は息苦しいほどだった。バンド仲間が桑田を入れて五人。それに竹井と私の七人が一つのワゴンに乗っているのだ。

「これ、霊柩車《れいきゆうしや》っすよね？」

運転席に竹井、助手席に私。後部座席はない。荷台部分に押し込められたアフロが耐えかねたように聞いた。

「違う。搬送車だ」と私は言った。

私としては気を遣ってそう答えてやったのだが、アフロは食い下がった。

「搬送って、何を？」

遺体搬送に使っているワゴンだった。葬儀の際には、うちでは外部に霊柩車を手配する。昔ながらの装飾のある霊柩車を望む人もいれば、シンプルな外観のものを望む人もいて、維持費も考えれば、うちなどではとても所有しきれないからだ。それでも病院から遺体を搬送するのに車は必要だ。葬儀屋の所有する黒いワゴン。しかも緑ナンバーとくれば、彼らにだって、それが何に使われているのか想像はできるのだろう。

「うちは葬儀屋だぞ」と私はため息をついて、バックミラー越しに不安そうな顔をするアフロに言った。

「だから？」

「だから、葬儀に必要なあれやこれやだよ」と私は言った。

「あれやこれや？」

ああ、だから、もう、と私が言いかけたとき、竹井が言った。

「終わったみたいですね」

あざみが丘中学の校門前。授業が終わったらしい。制服姿の中学生たちがちらほらと校門を抜けていった。十分が経ち、二十分が経ち、校門を抜ける生徒の数が増えていった。私は素早く視線を配り、その中に少年の姿を探した。

「あう」と背後で変な声が上がった。

「何だ？」

ちらりとバックミラーを見て、私は聞いた。スキンヘッドが苦しそうに顔を歪めていた。

「ああ、どうした？」

その様子に私は思わず振り返った。

「あの、しょんべん」

私はまた校門に目を戻した。

「我慢しろ」

三十分が経ち、もう限界です、とスキンヘッドが泣き声みたいな声を上げたときだ。

「あれだ」

校門を出てくる生徒の中に目的の姿を見つけ、私は指差した。

「あの、顔に怪我してるやつ」

腫れは引いたようだが、目の周りの痣《あざ》は残っていた。あの少年が五、六人の同級生たちとともに校門から出てきた。それはぱっと見には、仲の良い仲間たちと連れ立っているように見えるだろう。けれど、注意深く見てみればわかった。群れの真ん中に少年はいた。右側から回された腕は肩を組んでいるのではなく、少年をがっちりとつかんでいた。その周囲を残りの人間が固める。それは間違いなく、どこかに拉致《らち》されようとしている人の姿だった。

「頭、悪そうっすね」

自分を棚に上げて桑田が呟いた。

「あの、肩をつかんでるやつ」

頭が悪そうというより、それは何かが欠落した、酷薄そうな顔だった。少年と同じ制服を着て中学の校門から連れ立って出てきているのだから中学生なのだろうが、もっと大人びて見えた。

彼らは校門の前に停《と》まるワゴンに目を向けることもなく、道を歩き出した。

「ゆっくりな」

かなり距離を置いてから竹井がゆっくりと車を走らせた。少年たちが角を曲がったところで、また少し間を置き、角を曲がる。それを何度か繰り返した。行き先はまたあの公園だろうかと思ったが、違うようだ。老女に騒がれて、場所を変えたのか。あるいはいつも気まぐれに場所を選んで、少年をもてあそんでいるのか。何度か同じことを繰り返し、次に曲がった角の先に、少年たちの姿はなかった。

「あそこですね」

竹井の指先を追うと、団地の敷地の中に少年たちが入っていくところだった。仲間のうちの誰かの家だろうか。

「中だとちょっと面倒だな」と私は言った。

「そうですね」

団地の建物を回り込んで姿が見えなくなった少年たちに、竹井は敷地内に車を乗り入れ、邪魔にならないような場所に停めた。

『御遺体搬送中』

そう書かれたプレートを窓から見える位置に置いて、私たちは車を降りた。遺体搬送を業務として行うためにはお上の許可がいる。道端に停めて搬送車をレッカーなどされた日には、たまったものではない。かといって、不審車両と通報されても困る。これくらいの嘘は勘弁してくれ、すぐにどけるから、と誰にともなく言い訳しながら、私は少年たちが消えた方角へと小走りに向かった。

「あの、しょんべん」

背後からくるスキンヘッドが情けない声を上げた。

「もうちょっとだから我慢しろ」

だって、もう限界、とほとんど悲鳴に近い声を上げたスキンヘッドの頭を誰かが叩いたようだ。ぺちりと音がした。

端までくると建物の陰に身を寄せて、私は向こうの様子をうかがった。誰もいない。もう一辺を走り、また様子をうかがった。いた。

建物と団地の敷地を囲む塀との間に何本もの木が植えられていた。その木の向こうに少年たちの動く影があった。私はみんなをそこに残し、身をかがめながら一人、走り出た。少年たちは気づかなかった。木の陰を伝いながら、私は少年たちに近づいた。やがて声が聞こえてきた。

「ってかさあ、たった一万だべ？　アローン福沢《ふくざわ》だべ？　どうにもならないってことはないだろうがよ」

誰の声かはわからなかったが、酷薄そうなあの少年の声ではない気がした。あの少年はきっとこんな憎たらしい声は出さない。憎たらしい声を出さないまま、淡々とひどいことをする。そんな気がした。

「だって」

呻くように聞こえてきたその声には聞き覚えがあった。写真屋の息子だ。

「だって、あん？」

「毎週じゃ」

ハハ、と気弱そうな笑い声で、少年は雰囲気を和らげようとしたようだ。もちろん、通じなかった。うっと少年が呻いた。腹を殴られたようだ。あるいは蹴りを入れられたか。

「毎日にする？」

同じ声が言った。

「毎日、一万。それでいいの？」

やはり金か、と私は思った。ここまでやられている少年に同情はする。けれど、だからといって、老女を食い物にしていいわけがない。しかもやり方がまずい。人の大切な思い出をダシにして金を引き出すなど、許されるはずがない。ましてや死者を騙《かた》るなど論外だ。しかも、私の両親が弔った死者を。私は許さない。少年も許さないが、この状況も許さない。

　私は持ってきたガムを出して、口に入れた。くちゃくちゃと噛んでみる。少しオールドファッションな気はしたが、仕方ない。私は今の不良の様子など知らない。そちらを振り返り、桑田たちに素早く手招きする。桑田がメンバーを引き連れてやってきた。私の近くまで小走りに駆けてくる。

「ちょっと待った」

　さきほどとは違う少年の声がした。桑田たちが近づいてきたのが悟られたようだ。少年たちがこちらの気配をうかがっている様子が伝わってきた。私はぽんと桑田の胸を叩いた。桑田が頷き返した。私たちは木の陰を離れた。

　突然、湧いて出た五人の男と一人の女に、少年たちはあっけに取られたようだ。しかもその様は、明らかに普通ではない。ぽかんとこちらを見た。私は何気なさそうにそちらを見遣《みや》り、それからなるべく間延びしたような声を上げた。

「なーに見てるのかなあ?」

　ああ、いえ、と少年の前に立っていた太った男の子が言った。

「あんだよ、どうしたよ」

　桑田が私の肩に手を回し、そこで初めて気づいたように少年たちを見た。

「何だ、僕ちゃんたち?」

サングラスをわずかに傾け、少年たちを睨みつける。

「ああんと、何して遊んでんのかな?」

言葉を失った少年たちの中で一人だけが動いた。さり気なく前に出ながら、その実、私たちの視界から写真屋の息子を隠していた。あの酷薄そうな少年だった。

「別に何でもないです」と少年は礼儀正しく言った。「それから、別にガンとか飛ばしたわけでもないですから。もし、何か気に障ったらごめんなさい」

すらりと頭を下げ、戻すと同時ににこっと笑う。校門で獲物の肩を抱いていたときの表情からは想像もつかない、さわやかな笑顔だった。

普通ならばそれでやり過ごせたかもしれない。こちらを立てながら、それでも臆しているわけではない。桑田はああ言ったが、頭が悪そうでもない。絡むには絡みづらい相手。そう見えた。普通ならばそのままやり過ごされただろう。これまでだって、そうしてきたのかもしれない。けれど、今回ばかりは相手が悪い。こちらはどうあっても絡むつもりなのだから。

「何か気に障ったってよお、僕ちゃん」

紫色の爆発頭が進み出た。こちらはもともと目つきがきつい。実はちょっと可愛い目をしている桑田と違い、サングラスはつけさせていなかった。

「その言い方そのものが気に障るんだけどな」

少年の目つきがちょっと変わった。

「ああ、そうですか」

それでも笑顔だけは絶やさず、少年は言った。

「それなら、それも謝ります。ごめんなさい」

「ホント、気に入らねえんだけど、こいつ」

爆発頭が私たちを振り返り、言った。

「俺も気に入らねえな」

アフロが、そのアフロ頭をゴリゴリと掻《か》きながら前に進み出た。

「どっかの王子様か？　何だ、気取りやがって、こら」

爆発頭より前に出たアフロは、少年の前に立ちはだかった。アフロは体も一番大きいし、見栄《みば》えもする。

少年が顔を伏せた。さすがにびびったか。そろそろ頃合か。私はそう思った。けれど違った。再び上げた少年の顔にへばりついていたのは、あの酷薄そうな表情だった。まだ背も伸びきってないような少年が一人、顔を上げた。それだけで周囲の空気が一変した。

「舐《な》めんなよ、チンピラが」

すごむわけでもない。淡々と少年は言った。

「ああ?」

アフロが目を剝《む》いた。

「てめえら、組を相手に回して喧嘩《けんか》するか? 俺の親父、テラダ組の組長さんよ。それを相手に回して喧嘩するか? 何なら、上まで相手にするか? 上州《じょうしゅう》カワノベ一家の門下、全部、相手にすっか?」

さすがにアフロが凍りついた。私だって凍りついた。不良とは言え、たかだか中学生。毛も生え揃っていない子供に何ができる。不逞《ふてい》の輩を揃えて凄《すご》めば、それで相手は萎縮する。そう決めつけていた。

少年の前に立ちはだかる大柄なアフロ。その構図は先ほどと変わっていないが、どちらが萎縮しているかは一目瞭然だった。その様子に、他の少年たちも余裕を取り戻した。笑みを浮かべながら私たちを見た。

やべえな、こりゃ。

桑田が小さく呟いた、その次の瞬間だった。うおおお、と叫んで一匹の獣が躍り出た。躍り出た獣は、アフロの前で悠然と仁王立ちになっていたその少年の股間に向けて、思いっきり蹴りを入れた。

くうとやけに可愛い声を上げて、少年が股間を押さえた。獣は倒れる暇を与えなかった。眼前に突き出された少年の頭の髪をつかむとそれを持ち上げ、無防備な鼻先に向かって頭突きを食らわせた。鼻血が飛び散った。剃り上げられた頭にその返り血を受け、なおも獣は攻撃の手を緩めなかった。もう一度頭突きを食らわせてから、その場に声もなく倒れた少年の腹を蹴り上げた。

「ごちゃごちゃ、うるせえんだよ。組だ？　一家だ？　ああ？　だからどうした。上もまとめて全部連れてこいや。今じゃなきゃ、いつだって相手してやらあ。こっちは、もう我慢の限界なんだよ。そんなもん、超えてんだよ」

絶対に手は出すな。十分にそう言い含めたつもりだったのだが、私の言葉など、もはやスキンヘッドの頭から飛んでいるようだ。女は子宮でものを考える、と心ない男は言うが、男だって膀胱《ぼうこう》でものを考えるときもあるようだ。一社会人としては止めに入るべきなのだろうが、ここで止めに入ってしまっては元も子もなかった。気を取り直して、私はくちゃくちゃとガムを噛みながら前に進み出た。

「ああ、ああ。また切れちゃって。殺すなよ。相手はまだ将来のあるお子様なんだから」

知るか、と言って蹴りを入れ続けながらも、それでもそのはげ頭に少しはまともな思考が戻ったらしい。蹴りの勢いが少し弱まった気がした。そう思いたかっただけかもしれないが。

「ああ、あれ？」

木の根元に座り込み、呆然《ぼうぜん》と事の成り行きを見ている少年に向けて私は言った。

「ハル坊じゃない？」

写真屋の息子が私を見た。不審げに眉根が寄せられ、それから、あ、と小さく声を上げた。

「そうよね、ハル坊よね」

私はその近くに駆け寄り、何も言うなと目線で伝えた。わかったとわずかに頷いた少年の目が少し笑っていた。こんな場でよく笑えるものだと腹も立ったが、まあ、仕方がない。この姿を見て、あの竹井ですら声を上げて笑った。ヤスダ洋装店の、巣鴨《すがも》でもそうはお目にかかれないだろうというほど派手なおばちゃまファッション。オババお勧めのド派手なメイク。夏祭りにマリリン・モンローの仮装に使った金髪のかつら。本人である私だって、笑うしかないくらいの姿だ。笑うのが許されないなら、いっそ舌を噛みたいくらいだ。

「何だよ、お前、知り合いかよ」

桑田が私の横にやってきた。スキンヘッドの攻撃はようやく収まり、芋虫のようにうずくまる少年をその他の仲間たちが泣きそうな顔で見ていた。

「ああ、昔、世話んなった人の息子さん。今はシケた写真館をやってるんだけどね、その昔は東京で知らない人はいないってくらいのいかした人でさ」

「ああ、お前が前に言ってた、ああ、何だっけ」

相変わらずの物覚えの悪さに舌打ちが出そうになった。

「緒方さんよ」

「ああ、そう。緒方さんな」と桑田が言った。

「ええ、あの緒方さん？」

モヒカンが声を上げた。

「二十年くらい前に、関東の東をほとんど締めてたって、え？　あの緒方さん？」

こちらはかなり堂に入っている。桑田をクビにして、こっちを雇おうかと私は半ば真剣に考えた。

「そう、あの緒方さん。あんたも名前は知ってる？」

「知ってるよ。今じゃ、もう伝説だよ。へえ、あの緒方さんの息子さん？」

そりゃどうもはじめまして、と言いながらモヒカンもこちらに近づいてきた。

「ああ、もう。そんで、こいつどうすんだよ。面倒臭いから殺していい？」

スキンヘッドが言った。こちらは演技じゃないだろう。切羽詰まった声に妙にリアリティーがある。

「ハル坊の友達、殺したら、明日にはあんたが死んでるよ」

私は言い、一ヶ所に固まって脅え切った目をしている少年たちに聞いた。

「ハル坊の友達でしょう？」

少年たちが目線で譲り合い、太った子が頷くと、今度はいっせいにコクコクと頷き出した。そしてすがるように少年を見る。

「ねえ？」と私は少年に確認した。

「ああ、友達っていうか」と少年は身を起こしながら言った。「まあ、ただの同級生っていうか」

ぱんぱんとお尻をはたいて言う。結構、意地が悪い。

「あ、友達じゃないんだ」と立ち上がりながら、私も乗った。

「うん。まあ、どうかな」

少年が他の少年たちを見た。

「何、言ってんだよ、友達じゃねえか」

なあ、と太った少年が周囲に確認し、周囲の少年たちも必死に頷いた。ほとんど泣き出しそうだった。どうしようかなと思案するように少年が意地悪く他の少年たちを見回したときだった。

「はい。そこ、動くな」

凛《りん》とした声が降ってきた。少年たちが一斉にそちらを見た。背広姿の男がこちらに近づいてきた。

「おい、何だよ。桑田じゃないか」

背広が足を止めて言った。

「ああ、はい。どうも」

桑田が直立して一礼した。どうやら敵の敵らしき背広姿の男に少年たちが期待の目を向けた。

「何だ？　また悪さしてんのか？」

「ああ、いえ。とんでもないです。そんな、ご厄介になるようなことは何も」

警察官だとは一言も言ってない。けれど、少年たちにはそう聞こえただろう。今、この場はそれでよかった。近所の中学生たちだ。今後、どこかで出会う可能性はある。突拍子もない風体に身をやつしている私も、派手なアロハ調のシャツにサングラスをかけている桑田も、行き会ったところでそれと気づかれることはないだろう。けれど、竹井だけは素のままだ。警察官だと名乗るわけにはいかなかった。警察官だと名乗りさえしなければ、仮に葬儀屋だとばれたところで、少年たちは妄想する。警官でもないのに、あいつらをびびらせていたあの人は、それじゃ、いったい何者なのだ、と。今は葬儀屋らしいが、その過去は、と。

「お前の仲間か？」

私たちを見回し、少年たちにも目を向けて竹井は言った。こういうとき、竹井の無表情は便利だ。何者にも見えない。何者にも見える。

「仲間内のリンチでも、出るところへ出れば立派な傷害だぞ。遊びでしたなんて言い訳が通用すると思うなよ」

言い終えて、少年たちから目線を外す。

あれ？

呟きながら竹井は写真館の少年に歩み寄った。

「君もやられてるな。これ、誰にやられた？」

写真館の少年が他の少年たちを見た。太った少年がすがるように小さく首を振るのがわかった。

「誰でもないです」

「誰でもないってことはないだろう。ちょっと一緒にこないか？　相談に乗るぞ」

「ああ、いえ。本当に誰でもないんです。体育の授業のときに、一人で転んで、打ち所が悪かっただけで」

そうは見えないけどなあ。

呟いた竹井が少年たちに目を向ける。小さく首を振っていた少年が、慌てて首を止めた。

「まあ、いいか」

写真館の少年から離れた竹井は、まだそこに寝そべっていた少年に歩み寄った。

「こっちはお前か？　お前だよな、どう見ても」

スキンヘッドに言って、竹井は倒れている少年の髪をつかみ、乱暴に顔を上げさせた。意識はしっかりしているようだ。それで結局、こいつは敵なのか、味方なのか。測りかねるように少年の目が竹井の顔の上を泳いでいた。

「まあ、こっちもいいか」

生きてるみたいだし、と言って、地べたに投げつけるように竹井は少年の髪を離した。

竹井も結構ひどい。

「お前ら、あんまり騒ぐなよ。ご近所さんに迷惑だ」

「ああ、はい。わかってます」

桑田が言った。

じゃな。

竹井が背を向けた。去り行く竹井の後ろ姿に名残惜しそうな顔をしていた少年たちは、やがて諦めたように私たちの表情をうかがった。

「ああ、もう、いい。消えろ」と私は言って手を振った。

少年たちが一斉に動き出した。

「おい、待て」

桑田が声をかけ、少年たちはまた一斉に止まって、恐る恐るこちらを振り返った。

「友達を置いていくなよ。ひどいやつらだな」

少年たちが写真屋の少年を見た。

「そっちじゃねえ。こっちだ」

桑田が倒れている少年を足先で小突いた。

「僕は大丈夫だから」と写真屋の少年が言った。「心配してくれてありがとう」

少年たちは倒れた少年を抱えるようにして、歩いて行った。

「そろそろ、いいっすか？」

スキンヘッドが小さくその場で足踏みしながら言った。

「まだだ」と私は言った。

少年たちが団地の建物の陰に消えた。それからゆっくり頭の中で十を数え、私は言った。

「いいぞ」

食事を許された飢えた犬のようにスキンヘッドが走っていった。その姿が木の陰に隠れた直後、ジャアという勢いのある水音と、ハアというときめきの声が聞こえてきた。

「どういうことだよ、姉ちゃん」

写真屋の息子が私に言った。

「これで里子さんにたかる理由はなくなるだろう？」と私は言った。「今度、お前に手を出せば、わけのわかんない連中が出張《でば》ってくるかもしれない。そうじゃなくても、お前の相談に乗ると言っている警察関係者らしき人がいる。あいつらはもうお前に金を要求できないし、だったらお前も里子さんを狙う必要はない。もう三年生だろ？　せっせと受験勉強に励め」

「里子を狙う？」と少年は言った。「そんな気はねえ。そう言ってるだろうが。俺は、ただ里子の穏やかな余生を見守りたいだけだ」

生まれ変わり。どうやらそれを撤回する気はないらしい。面倒なやつだ。

「ああ、それから、俺の今の名前はハル坊じゃない」

「うん？」

「シュントだ、シュント。緒方春人。略せばシュン坊だ」

「いいじゃないか。通じたんだから」と私は言った。「ほら、行くよ」

「行くって？」

「お前とは、どうあっても、今日、話をつける。それとも、恩義踏み倒して逃げ出すか？」

少年はしばらく私を眺め、それから仕方なさそうに小さく笑った。私たちは車に向かって歩き出した。ああ、ちょっと待ってよお、と言う声が聞こえた。まだジョボジョボという水音が続いていた。

「知るか」と私は応じた。

非常識なまでに長いスキンヘッドの小便が終わるのを車で待ち、今度は八人乗りで店まで戻った。

浅野さんに電話して問いただしてみると、「やくざの息子お？」という不審そうな声が返ってきた。

「そんな大型ルーキーが地元にいれば、耳に入ると思うけどな」

「ああっと、確かテラダ組って言ってました」

「ああ、テラダ組」

「やっぱりあるんですか？」

「ああ、うん。あるよ。今度の、ほら、川の向こうの公会堂の建て替えにも参加してるんじゃないかな。堅気の土建屋さんよ。社長とは飲み屋で何度か会ったことあるな。若いもんはあんまいないはずだよ。この不景気で転身が利きそうな若い社員は、頭を下げて辞めてもらったみたいで。律儀な社長でね。今じゃ、年寄りがどうかな、十人もいたかなあ」

「ああ、あの、それじゃ、上州カワノベ一家って？」

「カワノベ、カワノベねえ」と呟いた浅野さんは、やがて、ああ、と声を上げた。「それ、テラダの社長のお姉さんが嫁いだ、カワノベだ。有限会社カワノベ。うん。確か群馬のほうって聞いたから、上州っていえば上州か。建設機器のリースなんかをやってる会社らしいけどね」

「一家じゃない？」

「いや、そりゃ、まあ、姉と弟だからね。一家っていえば、一家でしょうよ」

私は礼を言って電話を切り、その内容を桑田たちに伝えた。

「まあ、ここらを歩いてて、やくざに拉致されるなんてことはないみたいだから」

謝礼はまた後日、と言った私に、そんなものはいらない、とアフロが首を振った。

「俺たち、魂で生きてるから」

その横でメンバーたちが頷いていた。ちょっとかっこよかった。

店先まで見送りに出た私に、アフロは店の中を小さく顎でしゃくった。

「あいつのこと、頼みます。手はかかるだろうけど、真面目で、いい奴だから」

「ああ、うん。わかってる」と私は言った。

「俺たちも、こんないい職場、見つかればいいけどな」とアフロは仲間たちに言った。

「だって、音楽があるだろう？」と私は言った。

「あるけど、仕事にはね」とアフロは笑った。「バンドだって、あいつの代わりを入れようとも思わないし。あいつ、いいコブシ回すんですよ」

「そう」と私は言った。「そうか」

彼らが帰っていくのをその背が見えなくなるまで見送って、私は店に戻った。ソファーに座る少年と、それぞれのデスクからその少年を眺める竹井と桑田がいた。

「それで、まだ生まれ変わりだって言い張るのか？」

その向かいのソファーに腰を下ろして、私は言った。

「別に信じてくれとは言ってねえ。里子がわかってくれりゃ、俺はそれでいい」

「里子さんの生まれはどこだ？」

テストかよ、と少年は笑った。

「神戸《こうべ》だよ。三歳までそっちにいて、それから職をなくした親父さんが親戚を頼ってこっちにきた。疎開やら何やらがあったけど、戦後からはずっとこっちだ。俺と結婚してからはずっとあの家」

「連れ合いの仕事は？」

「俺は商社マンだよ。カワイ繊維。戦後にできたちっぽけな商社だ。今じゃもうないけどな」

「里子さんの誕生日は？」

「昭和二年八月三日」

「干支《えと》は?」

「はあ?」

「干支だよ。何年《なにどし》だ?」

少年の目線が泳いだ。計算しかけ、それを諦めたらしい。

「忘れたよ、そんなもん」

「あの年頃の人は、干支で年を数えるもんだ。連れ合いの干支を忘れるわけないだろう?」

「忘れたんだから、しょうがねえだろ」

「じゃ、血液型は?」

「はあ?」

「血液型だよ。何型だ? 可能性は四つしかないんだ。まさか忘れやしないだろう?」

「A型」と少年は言った。「A型だよ」

言い方からして当てずっぽうだろう。

やはりそうか、と私は思った。少年は、里子さんのエピソードは知っている。けれど、里子さんのことは何も知らない。夫なら当然知っているべき里子さんの基本情報を何も知らないのだ。エピソードは人口に膾炙《かいしゃ》する。けれど、基本情報は意外にわからないものだ。お前、何型、などと性格に関連付けて話題に上《のぼ》るようになったのは、里子さんの年から考えれば最近のことだろう。それでも夫なら知っているはずだ。

そうかといって、赤の他人である少年が、どうやって里子さんのエピソードを収集できたのか。それはわからなかった。そして何より、金を必要としなくなった今、少年がなぜまだ里子さんにまとわりつこうとするのか。その動機がわからなかった。

何もわからないのなら、少年の唯一の弱みをつくしかなかった。私は言葉を続けた。

「仲人《なこうど》は？」

「え？」

「二人が結婚したとき、仲人は誰に頼んだ？」

「俺の会社の上司」

「名前は？」

「忘れたよ。何年前の話だと思ってる？」

「仲人の名前だぞ。忘れるか？」

「ああ、あれだ。高橋《たかはし》さん。そうだ、そう。高橋さん」

干支。血液型。それから仲人の名前。足りなかった。血液型は当たっている可能性もある。もう一押し欲しかった。そして私は思い出した。

「住所は？」

「は?」

「今の家の住所」

「東小向町一の十六」

今度は自信があるのだろう。少年が答えた。だが、外れ、だ。

「それは今のだ」

「だから、今の家の住所だろう? 今のって、俺たちはあそこにしか住んでねえけど」

「違うよ。お前が知っている、今の家の住所だ」

少年が私を見た。そこに仕掛けられた罠《わな》を見極めるように、慎重に私を観察した。

「小向町は七年前に東と西に分かれてる。お前が生まれ変わりなら、お前が住んでいたころ、あの家には別の住居表示があった。知ってるよな、当然。自分の家の住所だぞ。結婚してから死ぬまで住み続けた家の住所、まさか忘れないよな?」

少年は口を開いたが、そこから言葉が発せられることはなかった。少年の肩ががっくりと落ちた。それでも少年は何も言わなかった。最後の手段と思い定めたように、だんまりを決め込んだ。その様子は哀れでもあったけれど、私は止《とど》めを刺しにかかった。

「里子さんに電話する」

立ち上がった私に、少年がびくりと顔を上げた。その視線が懇願するように私を見ていた。

思えば最初からそうだった。この少年が唯一恐れていたこと。それは、その嘘が里子さんにばれること。それだけだった。逆に言うなら、少年はそれしかしていないのだ。里子さんに嘘をつき続けた。少年がしたのは、ただそれだけだ。

今のところは、と私はそう思っていた。今のところはそれで済んでいる。まだ続きがあるのだと。けれど、それも私の思い込みでしかない。ひょっとしたら、私はものすごい勘違いをしているのではないだろうか。少年の様子に私はそんな気がし始めていた。

私はソファーに座り直した。

「話せよ」

諦めたようだ。視線の中の懇願を少年ももう隠そうとはしなかった。

「話せば、黙っててくれるか？」

「話次第だ」

少年がぐっと考え込んだ。

「考えるな」と私は言った。「お前に選択の余地はない」

深々とため息をついて、少年はソファーに身を預けた。

「何で里子さんのことを知ってる？」

「祖父《じい》ちゃんに聞いた」

少年の祖父ちゃん。私は写真を思い出した。二ヶ月前に介護施設に入った、あの人か。

「親しかったのか？　お祖父さんと里子さんの夫婦は」

少年は首を振った。

「親しくないよ。いや、普通の付き合いはあったらしいけどね。でも、向こうは何とも思ってなかっただろう。何度か写真をお願いした近所の写真屋ってなもんだろ」

ではお祖父さんのほうはどう思っていたのか。私がそう聞く前に少年が口を開いた。

一年くらい前からかなあ、と少年は言った。

「祖母《ばあ》ちゃんが死んだ途端に祖父ちゃん、ボケ出してさ。サトコ、サトコって言うようになった。その年に死んだ祖母ちゃんの名前がサトミだったんだ。聡明の聡に美しいで聡美。ボケた祖父ちゃんの言うことだから、って、親父とお袋は気にも留めなかった。とうとう妻の名前まで間違えるようになったかって。俺もそう思ってたけど、あんまりにも切なく祖父ちゃんがサトコって訴えるもんだからさ、話だけは聞いてやってたんだよ」

現実認識が混沌《こんとん》とし始めた老人。その老人の繰言《くりごと》を聞いてあげている中学生。そんな絵が浮かんだ。少年は里子さんの前で老人を演じ続けた。それが破綻することがなかったのは、そうやって祖父に付き合っていたからではないだろうか。根気よく、丁寧に。だから、里子さんに違和感を覚えさせることなく、老人の振りを続けられた。

「そうしたら何か様子がおかしくてさ」と少年は続けた。「そりゃ、ま、ボケ老人の言うことだから、って最初は思ったさ。ただ、話自体の筋は通ってるんだよ。まるで祖父ちゃんとサトコって人が、本当にそれまで一緒に人生を歩いてきたみたいに。最初は愛人がいたのかと思った。サトコって名前の愛人がいて、その人との記憶を喋っているのかと思った。でも違うんだ。話の中で、その人と祖父ちゃんは結婚までしてる。一緒に暮らしてる。ボケ老人のくせに、話がしっかりしてるんだよ、妙に。何かおかしいと思ったけど、それ以上はよくわからないさ。サトコって誰だって聞いたって、祖父ちゃん、俺の女房に決まってるだろうって答えるだけだし。でも、その祖父ちゃんが語る結婚生活は、全然、祖父ちゃんの人生とは違うんだ」

「ああ、うん」

「二ヶ月くらい前に、祖父ちゃんを施設に預けることになった。で、ずっと暮らしてた家を出るとき、それでも祖父ちゃん、少し素に戻ったんじゃないかな。俺が手を貸して、車に乗せようとしたら、祖父ちゃん、こう、ぐっと俺の肩をつかんでさ、言うんだ。押入れの中って。運転席と助手席にいる親父とお袋に聞こえないように、俺の耳に囁《ささや》くんだ。押入れの中を見てくれ。そこにサトコがいるって」

あれにはびびった、と少年は笑った。

「祖父ちゃん、サトコって人を殺して、その死体を押入れに隠し続けたんじゃないかって。びびったけど、でも、知らん振りもできない。俺だって気になるし。それで、急《きゆう》遽《きよ》予定を変更して、俺は行かないって言ったんだ。親父とお袋が祖父ちゃんを施設に連れて行くのを見送って、俺は祖父ちゃんの部屋の押入れを見た」

竹井と桑田もこちらを見て、少年の話に聞き入っていた。

「別に何もなかった。ごちゃごちゃとしたものが、ごちゃごちゃと入っているだけだった。着物とか、座布団とか、古い布団とか、電気ストーブとか、扇風機とか、あとはアルバムが山ほどあったけど、それは仕事柄、当たり前だろうと思った。古いカメラもあったし、八ミリの再生機もフィルムもあった。使ったんだかどうかもわからないカメラのフィルムも一杯出てきた。死体がなくてホッとしたけど、それじゃ、サトコってのは何だって気になった。俺はサトコを探して、もう一度、押入れを点検した。最初は見つけられなかった。特におかしなものはやっぱり何もなかった。俺は何気なくアルバムを開いた。それでもしばらく気づかなかったんだ。綺麗な人っているもんだなと思っただけだった。でも、アルバムをめくっていって、ようやくわかった。そのアルバムのどの写真にも同じその人が写っていた。俺は別のアルバムもめくった。やっぱりそうだった。その女の人の写真ばっかりだった。他の人が一緒に写っているときもあったけど、どの写真にも必ずその人がいた。俺はそこにあった何十冊ものアルバムを片っ端から調べた。どれも同じだった。祖父ちゃんの押入れにあったアルバムは、すべてその女の人の写真だった。何百枚、いや、へたすりゃ千枚を超えるその人の写真だった。俺はその写真を全部、自分の部屋に移した」

「そんな写真、どうやって」

桑田は私が思い浮かべたのと同じ疑問を発した。

「写真屋だからって、だって、そんなに撮れないだろう？　そんな、やたらと依頼してきたわけじゃないだろうし、千枚って、デジカメの時代でもあるまいし、家族だってそんなには」

ねえ、と桑田が私に同意を求め、私は頷いた。

「ストーカーだよ、要するに」

少年は嫌そうにその言葉を口にした。

「ストーカー？」

私は思わず聞き返した。

「今で言やあ、そういうことになるんだろう。明らかに隠し撮られた写真も一杯あった。ああ、いや、ほとんどがそうだった。今と違って、カメラも発達してなかったからな。小さいカメラはどうしたって画像が悪くなる。その粗い画像の写真を祖父ちゃん、大事そうにアルバムに貼ってたよ。ああ、そんないかがわしいやつじゃないぜ。普通に買い物をしてたり、どこかのベンチに座ってたり、そういうやつ」

「あ、ああ」と私は頷いた。

「期間にすれば、十年分くらいじゃないかな。二十代前半くらいから三十代の半ばくらいまで。アルバムにはその人の時間がぎっしり詰まってた」

私はそのアルバムを想像してみた。詰まっていたのはそれだけではないだろう。十年間その被写体を撮り続けた撮影者の思い。息が詰まるくらいの重さだ。

「本人が見たら、腹を立てるんだろうな」と少年は言った。「でも、何だか俺は切なくなっちゃってさ」

「不愉快じゃなかったのか？」と私は聞いた。「だって、お前の祖母ちゃんを差し置いてって話だろう？」

少年は薄く笑って私を見た。

「姉ちゃん、ちゃんと恋愛してるのか？」

私は言葉に詰まった。少年は声を上げて笑った。竹井までぐすりと笑った。

「愛情と憧れは違うよ。祖父ちゃんにとって、その人は憧れのマドンナだったんだよ。妻が死んで、何だか頭もぽかんとしてきて、もう自分も長くないと思えてきて、そんな祖父ちゃんを支えてくれたのが、そのマドンナへの憧れだったんだよ。どうして不愉快になる？」

「ああ、うん」と私はわかった振りをして頷いた。「それで里子さんを探した？」

「探しゃしないよ」と少年は言った。「だって、年の頃からして、まだ生きてるなんて思わなかったさ。死んでいるんだと思った。だから、尚更《なおさら》、切なかった。でも、ある日、俺は偶然、駅前でその人を見つけたんだ。あれには驚いた。夢で見た人と本当に出会ったみたいに、びっくりした。それで思わず、あとをつけた」

「それで里子さんの住所を知った」

「そう。もうずいぶん前に旦那さんを亡くしていることも知った。旦那さんが亡くなったのは、きっかり俺が生まれた年の生まれた月だった。そう思ったら、何かね、運命を感じちゃってさ」

だから、通った。生まれ変わりを騙って。

「最初は騙すつもりなんてなかったんだよ。ああ、何ていうかな、ちょっと驚かすくらいのつもりで、あなたは私のことを知らないだろうが、私はあなたのことを知っているって、祖父ちゃんから聞いていた色んな話をしてさ。そしたら、あの人、気味悪がる感じでもなくて、ただ懐かしそうに俺の話を聞いててさ。最後には泣き出しちゃって。感動して泣いてるんだぜ。俺としてはさ、最後にタネを明かして、あなたのことをこんなにも思っていた男もいるんですよって、まあ、祖父ちゃんの株をちょっと上げようかくらいに思ってたんだけど、何だかそれも言い出せなくなっちゃって。そしたらあの人のほうから言ったんだ。あなたね、あなたなのね、って。何を言ってるかわかんなかったよ。でも、あの人が俺を旦那の生まれ変わりだと思っているってわかったら、何だかそれでもいいような気になっちゃってさ」

騙したのではないのか。少年は里子さんの望みをかなえただけ。それだけなのか。

「一度、そうなっちゃうと、もう大変だよ。新しい話を仕入れようにも、祖父ちゃん、ボケてるしさ。施設だから、面会時間だって限られてるし。そのころのことを知っている人なんて、近所にはもう残ってもいないし。で、困り果てて、もしかしてと思って、八ミリを見てみた。もう見られたもんじゃないくらいの映像なんだけど、それでもそこに映っているのはやっぱりあの人だった。ほんの短い時間だけど必ずあの人が映ってた。夏祭りの映像とか、神社の初詣《はつもうで》のところとか。祖父ちゃん、とにかく人の集まりそうな場所にはカメラを持っていって、あの人がくるのをじっと待ってたんだろう」

ハハと少年は笑った。

「ホント、ストーカーだよな」

「それだけですか？」と竹井が聞いた。

「うん？」と少年が竹井に目を向けた。

「お祖父さんから聞いた話と、写真と八ミリフィルム。それだけで相手を納得させられたんですか？」

もっともな疑問だった。他の誰でもない。長年連れ添った旦那を名乗ろうというのだ。いくらもう十五年も前に死んでいるとはいえ、もっとプライベートな話がなければ納得させられないだろう。

「その旦那と祖父ちゃん、飲み仲間だったんだ。ああ、いや、祖父ちゃんがその旦那の行きつけの店を調べて、通うようにしたんだろう。その旦那とそこで話をするようになった。向こうが祖父ちゃんのことをどう思ってたかは知らないよ。いつも行く店で、隣の駅の写真屋とよく顔を合わせる。その程度だったんだろう、きっと。祖父ちゃんは酔った相手から慎重に家庭の話を聞き出した。俺に話していたのは、だから、その人の記憶だよ。ボケた祖父ちゃんの中で、その人と自分がいつの間にか同じ人になってた。そういうことなんだろう」

「それにしたって」と私は言った。

情報が少な過ぎる。そう言いたい私の思いを察したようだ。少年がふと疲れたように目線を落とした。

「俺もわかんないよ。あの人が本当に信じているのかどうか。あの人、自分からは何も確かめない。ただ俺が話すのを嬉《うれ》しそうに聞いてるだけで。信じてるんじゃなくて、信じたがっているだけなのかもしれない」

それでも少年は通い続けた。旦那の役を演じ続けた。

「お前、実はすごいいい奴か？」と私は言った。

「年寄りじゃねえか」と少年はぞんざいに言った。「そんなに先も長くねえ。俺の与太《よた》話《ばなし》で楽しんでくれんなら、それでいいかって」

ぐすりと竹井がまた笑った。珍しい日だ。竹井の笑い声を妙に耳にする。私は竹井に目をやった。少年もそうした。

「ああ、ごめんなさい」と竹井は少年に手のひらを上げた。

「ごめんなさいって、何だよ」と少年は言った。

「笑うつもりはなかったんです」と竹井は言った。「おかしかったんじゃなくて、うん、おかしかったんじゃないんです」

「竹井」と私は言った。「それは何への言い訳だ？」

「何って、だから」と竹井は不思議そうに私を見て、それから少年に目を移した。「好きなんでしょう？ その人が」

何を言っているのかわからなかった。わからないまま、竹井の視線に釣られて私は少年を見た。そこには顔を真っ赤にした少年がいた。

「は？」と私は言った。「ええ？ 何だ？ え？ どういうことだ？ いや、ちょっと。はあ？ お前が里子さんを？ そういうこと？」

「社長、やめてくださいよ」

少年に詰め寄った私をたしなめるように竹井が言った。私は竹井を見た。

「好きな女のために必死に嘘をつき続けた。おかしいですか？」

「ああ、いや、おかしいって、だから、そういうことじゃなくて、だって、え？　年の差、いくつだよ」

「ああ、もう」と少年が苛立《いらだ》った声を上げ、竹井を見た。「この姉ちゃん、本当に恋愛してねえな」

「してるんですよ、それでも」と竹井は言った。

けっと少年は鼻で笑った。

「相手の男が可哀想だ」

「ええ」と竹井も頷いた。「相手の男がちょっと可哀想なんです」

「ああ、いや、だって、ええ？」

私は味方を求めて桑田を振り返った。腕を組み、目を閉じていた桑田は、やがてその目を開けて、しみじみと言った。

「演歌っすねえ」

私は髪をかきむしった。

「いや、おかしいだろ。どう考えたって。そこらの人に聞いてみろ。絶対、私のほうがおかしくない」

「そこらの人なんか、好きなように言わせておくさ」と少年は言った。

「お前、マジか？　本気で里子さんに惚《ほ》れてるのか？」

少年は私を指差し、困り果てたように竹井を見た。

「愛情と憧れは違う。さっき彼だってそう言ったでしょう?」と竹井が言った。「好きにだって、色々ありますよ」

「わかんない」と私は言った。「そんなのおかしい。絶対、おかしい。生理的に理解不能。生物学的に間違ってる」

「写真、見たんだよ」と少年は言った。

「だから?」

「綺麗だったんだよ。世の中に、こんな綺麗な人がいるのかってくらい、綺麗だった。俺がアルバムを隠したのは、親父やお袋に見せたくなかったってのもあるけど、単純に欲しかったんだよ。あの人の写真が。だから、自分の部屋に持って行って、押入れに隠した。まあ、一枚だけアルバムに入ってない写真を見落として、それは親父に見つかったけど」

少年は私を見た。

「一度、うちの店にきてみるといい。店の中のドアの脇に飾ってあるから。あれを見ればあんただって」

「あれ、か」

私は呻いた。

「え？」と少年が言った。「見たのか？　いつ？　え？　どうして？」

「あれが、里子さん？　あれ、若いころの里子さんなのか？」

「そう。結婚したてのとき、記念に撮りにきた。あれはあの人一人だけだけど、同じときに撮った旦那と一緒の写真もあるんだ。二人してあれをうちに撮りにきて、で、それを撮った祖父ちゃんはそのまま一目惚れ。思いは募ったけれど、まだ写真館を開いたばかりの若造と人妻だ。掠《かす》め取るにしたって、三つ年上のあんだけの別嬪《べっぴん》を口説きにいくだけの度胸もない。まあ、口説いたってかなうわけもないさ。指をくわえて他の男との結婚生活を見てましたって、そういうこと」

ああ、いや、と少年は言った。

「それだけで祖父ちゃんは幸せだったんだろう、きっと。自分にだって嫁ができて、子供も生まれたしな。それとこれとは別だったんだよ」

「ああ、いや、でも、ええ？　あれが、里子さん？」

そこに驚く私のほうに驚いたように、少年が私を見た。

「だって、そのまんまじゃねえか。いや、そのまんまってことはさすがにないけど、だって、年は取ったけど、大して変わってないだろう？　俺、あの人とすれ違ったとき、一目でわかったぜ」

「わかんないよ」と私は首を振った。「普通、わかんない。並べて見せて説明されたって、普通、信じられない」

嘘だろう、と少年が呟き、こっちの台詞だ、と私は返した。

「まあ、いいよ」と少年は言った。「でも、あの人の中に間違いなく彼女はいる。写真のあの人がそこにいる。俺にはそう見えた。別にわかってくれとは頼んでねえ」

「まあ、いいよ」と私も言った。「全然、わかんないけど、そういう話なんだな。それは理解した」

「どうするんです？」

竹井が柔らかく少年に聞いた。

「このまま、嘘を続けますか？」

「どうせ、もう長くねえだろうよ。まさか、二十年、三十年、先があるわけじゃないだろう？」

少年は懇願するように竹井に言った。

「このまま、放っておいてくれねえか？」

それは何だか、里子さんの旦那さんが少年の口を借りて頼んでいるようにも見えた。

「いいんですか、それで？」

竹井が聞いた。少年が目を伏せた。

「里子さんはそれでいいかもしれません。でも、君の思いはどうなります？　目の前に好きな人がいる。恋心の一つも告げないで、いいんですか？　君の言うように、たぶん、そんなに時間はないですよ。少なくともクラスメイトに恋をしている君の同級生より、君に残された時間はずっと短い」

「困らせるだけだろうよ」と少年は苦しそうに言った。「俺なんかが好きだって言ったって、それでどうなるわけでもねえし。あの人が困るだけだろう？」

「いい男ですね、君は」と竹井は言った。

「演歌だな、お前」と桑田も言った。

「惚れったあ、女のお、ためだからあ」と変な節回しをつけて歌ってから、少年は笑った。「いいんだよ。わかってんだよ、俺だって。たぶん、俺だって、そのうちクラスの子の誰かを適当に見繕ってさ、キスしたいとか、一発やらせろとか迫るんだろうよ。だから、祖父ちゃんと一緒さ。それはそれで、これはこれ。いいんだよ、それで。これはこれとして、俺が一生大事にする。一生大事にして、綺麗に綺麗に磨き上げて、ボケたころに孫を困らせてやるさ。そうすりゃ孫がわけわかんないこととして、それでいつか、どっかのお節介なアホたちと知り合えるかもしれない」

　こんな風にさ、と少年は両手を広げて笑った。

「アホは余計だ」と桑田は言った。

「お節介は認めます」と竹井は言った。

何だか一人取り残された気がした。ひどく疲れた気分になって、私はぐったりとソファーに身を預けた。

「明日から学校へ行きやすくなった。それは礼を言う。ありがとう」

少年が私に頭を下げた。どうでもよかった。私は手を振ってそれに応えた。

「じゃ、行くわ」

少年が立ち上がった。

「ああ」と私は頷いた。

「いつでも遊びにこいよ」と桑田が言った。

少年は少年らしい笑顔を残して帰って行った。

「ああ、何だか、てんで道化だな」と私は言った。

「それ、そろそろ着替えたらどうです？」と竹井が言った。

私は頷き、いつもの格好に着替えるために二階へ上がった。

少年の嘘がばれることはおそらくないのだろう。少年がそれを望まず、また老女もそんなことは望んでいない。老女がうちを訪ねてきたのは、その嘘に付き合っている自分に対する後ろめたさか。それが死んだ連れ合いをないがしろにしているのではないかと、老女なりに思いあぐねたのだろう。だったら、私は、それに首を振れる。そんな奇妙な少年がいたと、いつか久しぶりに会った旦那と笑い話にすればいい。そして少年は、たぶん、少年が言った通りのことを実行するのだろう。里子さんとの思い出を綺麗に綺麗に磨き上げて、自分だけの宝物として一生大事に抱えながら暮らしていくのだろう。その宝物はきっと、この先、いくつもの困難が待ち受ける少年の人生をささやかに照らしてくれる。

お父さん、お母さん。

いつもの格好になった自分を姿見に映し、私は問いかける。

それで、いいでしょう？　あなたたちの弔ったその人を、決してないがしろになどしてはいない。そうだよね？

答えはなかった。

私はいつもの葬儀屋モードに頭を切り替え、うし、と一つ気合を入れてから、いつもの場所へと降りていった。

ACT.4

空に描く(REPRISE)
〜エピローグ

昼過ぎに店を訪ねてきた佐伯杏奈は、かなりへこたれていた。疲れ切っていた。

本当にごめんね、と佐伯杏奈は何度も繰り返していた。

「ああ、いや」

私は首を振りながら、考えていた。どこを間違えたのだろうと。たぶん、私は間違えたのだ。やったことなのか、やり方なのか。けれど、一向にわからなかった。

「それで、どうなの？」

「ああ、うん」と佐伯杏奈は頷《うなず》いた。「もう、とにかくおかしいのよ。あれが、親父殿《おやじ》の死んだ直後とか、葬儀のすぐあととかだったら、私たちだって、仕方がないと思えるんだけど」

私たち、というのは佐伯杏奈と姉のことだろう。それを一つにくくれるくらいに、佐伯杏奈のほうは落ち着いている。わだかまりが完全に拭えたのではないにしろ、姉妹としてこの先やっていこうと思えるくらいには落ち着いている。それなのに「お袋様」は

「……。

「もう取り乱してるって言ったほうがいいくらい。その前だって、二日に一度は泣いてたよ。でも、今じゃ毎日。毎日ほとんど泣き暮らしてる。泣きながら、仏壇の前で謝ってるのよ。ごめんなさい、あなた、ごめんなさいって」

仏壇の前であなたと言う以上、その相手は故人、佐伯篤弘氏なのだろう。

「何を謝ってるんだ？」

佐伯杏奈は首を振った。

「わかんない。私が聞いても、答えてくれないし。更年期とかそういうやつかもしれないって、姉とも話してるの。病院へ連れてったほうがいいんじゃないかって」

「いつぐらいから？」

「もうだいぶ経《た》つ。ほら、森野に相談したあの絵」

「うん」

「あれがそういうことだったってわかって、姉を引っぱたいて、自分なりに少し落ち着いてから、お袋様に報告したのよ。わからないけど、それがきっかけだったように思う。何かまずい伝え方をしたかなあって自分でも考えてみたんだけど」

佐伯杏奈は首を振った。

「私としては、もうわかっているから、気にしないでって、そう伝えたつもりだった。

私に、もう嘘《うそ》をつき続けないでいいからって。その中に、何かまずい言葉でもあったんじゃないかって考えてるんだけど、どうしても思い当たらなくて」

その絵のことを思い出した。佐伯杏奈の母親が、それに関して謝るべき相手は、どう考えても佐伯杏奈だ。遡《さかのぼ》って謝るにしたところで、佐伯杏奈の姉だろう。佐伯杏奈の母親と佐伯篤弘氏は、この件に関しては言ってみれば共犯者だ。もちろん、佐伯篤弘氏の結婚相手が、初婚で子供もいない女性だったら、そもそもこの状況は起こり得なかった。それについて申し訳なく思う気持ちがあるとしてもおかしくはない。けれど、葬儀からだいぶ時間が経った今、なぜ思い出したように佐伯篤弘氏に詫《わ》びるのか。

やはり更年期とかそういうことなのだろうか、と私は思った。

年齢的に考えれば、そうであってもおかしくはない。ホルモンバランスの急激な変化が、佐伯杏奈の母親に過剰な感情の起伏を生んでいる。そういうことなのだろうか。

「どうしたらいいかな？」

佐伯杏奈は困り果てたような視線を私に向けた。

遺族の悲しみを癒《いや》す、グリーフケアなどという気の利いたものが自分にできるとは思っていない。それが更年期と重なっているというのなら尚更《なおさら》だ。精神科なり、心療内科なり、それなりのところへ出向いてもらうしかないだろう。けれど、死者に届け切れなかった思いが遺族の中にまだ沈んでいるというのなら、それは私の領分だ。死者が眠りにつけない状況があるのなら、葬儀屋として放っておくわけにはいかない。

「何か、考えられる？」と佐伯杏奈は言った。「また森野に迷惑かけようとは思ってないの。何か、私たちでできることはないかって、相談したくて」

ああ、それだけでも迷惑だよね、と佐伯杏奈は笑った。

「本当、ごめんね」

「ああ、いや、そんなことはまったくない」

私は言った。言いながら考えていた。何かが引っかかる。けれど、それが何なのかがわからなかった。正確に言うなら、何かが引っかかったことは覚えていた。けれど、自分が何に引っかかったのかを思い出せなかった。

そのときの話を佐伯杏奈に伝えるべきかどうか、一瞬、迷った。けれど、今が適当なときではないだろう。ただでさえ母親が取り乱しているのだ。今の佐伯杏奈はそれだけで手一杯だろう。

「こっちでも少し調べてみるよ」

「ああ、何か嫌だ」と佐伯杏奈は笑った。

「うん？」

「その言葉で、私、安心してる。何か、本当、嫌。荷物を森野に預けて、ホッとしてるみたい」

「お客様、それもお代のうちです」と私は笑った。

どうであれ、葬儀屋に持てる荷物など高が知れている。故人を失ったというその事実は、遺族にしか持ち得ないものだ。だから高が知れているその高くらい、私は背負わなければならなかった。

佐伯杏奈を送り出し、私は電話をかけた。

「ああ、今度は何？」と浅野さんは言った。

「いつもすみません」と私は言った。

「ああ、いやいや、それはいいの。どうせ暇してるから。退職まで、じっとしてろってことらしくてさ」

仕事なんか、なあんにもない。

浅野さんは笑った。

「だから、ちょっとうきうきして聞いただけ。今度は何？」

「この前の話なんです」

「テラダ組の大型ルーキー？」と浅野さんは笑った。「あれなら、社長が激怒したらしくてね。今じゃ、学校が終わったら、すぐに仕事を手伝わされてるらしいよ。高校行かせねえぞって脅し文句がきいてるみたい」

詳しく話してはいないが、テラダ組の息子の素行については、その後、浅野さんに簡単に報告していた。

「ああ」と私は笑った。「でも、今日はそっちじゃなくて」

「何だっけ？」

「間宮博史」と私は言った。

「ああ、うん。あの事故死の？」

「ええ。どんな話でしたっけ？」

何かが引っかかったのは、浅野さんとの電話だった。私はそれを思い出そうとしていた。

「どんなって、別に大した話じゃないよ。二十三年前の夏、間宮博史は事故で死んでる。で、詳しい話が聞きたかったら、昔、刑事課でその件を担当してた人を知ってるから、紹介するって」

「ああ」

思い出した。二十三年前の夏。それと刑事課。それだ。

「やっぱりその人、紹介してもらっていいですか？」

「いいよ。もう警察は退職しててね。七十いくつかになるかな。そんでも、今年も年賀状がきたから、まだ生きてると思う。若いお嬢ちゃんと話ができるなら、喜んでくるだろ。連絡しておくよ」

「よろしくお願いします」

私は言って、電話を切った。

嫌な話になるかもしれない。

そんな気がした。


佐伯杏奈と予定を合わせる振りをしながら、私は佐伯杏奈の留守の時間を聞き出し、その家を訪ねた。応対に出た佐伯杏奈の母親は、葬儀のときとは別人だった。頬がこけ、落ち窪《くぼ》んだ目の下には濃い隈《くま》が出ていた。着ているのは寝巻きだろう。寝ていたのか、あるいは着替えるなどという発想がそもそもないのか。

椅子は勧めたが、お茶を出すことまでは思いが至らないようだ。惚《ほう》けたような表情のまま、佐伯杏奈の母親はテーブルを挟んで、私の前の椅子に座った。

「お疲れのようですね」と私は言った。

「そんなことは」

ありませんわ、と、それだけ発するのも疲れたように、彼女はほうと息を漏らした。

これ以上、彼女を追い詰める気などなかった。私は葬儀屋で、警察ではない。けれど、その話を避けて通るわけにもいかなかった。

「杏奈さんから、相談されまして。お母様がずいぶんお疲れになっていると」

「ああ、そうでしたか」

彼女は呟《つぶや》いて、頭を下げた。

それはお気を煩わせてしまって。

「ご主人を亡くされて気落ちなさっているのなら、私がとやかく言うべきことでもないように思いました。ただ」

ただ？

その続きを聞くように、彼女が顔を上げた。そうしたい、というのではなく、反射的な行動のようだった。

「どうしても気になったんです」

「何がでしょう？」

「あなたの沈黙が、です」

彼女の目が、一瞬、見開かれたように思えた。けれど、その目に表れた感情を探る前に、彼女の視線は伏せられていた。

佐伯杏奈から聞いた話の登場人物は、佐伯杏奈自身と姉、それと故人である佐伯篤弘氏。けれど、この話の中心は、本来、そこにはない。この話の中心にいるべき人物だけが、言葉を発していない。

最初に佐伯杏奈がうちを訪れたとき。そう。それは最初からそうだった。

お袋様がね。

佐伯杏奈はそう言った。

参っちゃってて。

そして今回も。

悲鳴を上げているのは、いつもその人なのだ。それなのに、その人の言葉だけが一向に聞こえてこない。

いや、佐伯篤弘氏の死後だけではない。佐伯篤弘氏の生前から、彼女は言葉を発していない。

姉と親父殿との間でおろおろしてただけ。

佐伯杏奈はそう言っていた。

けれど、本来、この話の中心にいるべきなのは、その人なのだ。前の旦那と子供を作り、妹も産み、再婚した、その人であるべきなのだ。その人がきちんと言葉を発していれば、こんなに話がこじれることはなかったのだ。その人はいつも悲鳴を上げながら、その一方でかたくなに沈黙を守っている。

その人は、なぜ沈黙を守り通したのか。

「間宮博史氏。前のご主人ですが」

「ええ」

「亡くなられているんですね」

彼女が伏せていた目を上げた。私を見つめるその視線が揺れていた。

「亡くなられたのは、もう二十三年前。ご存知でしたね？」

彼女は頷いた。

「警察がきましたから」

大前《おおまえ》さんというその元刑事は、退職後、警備会社に嘱託社員として勤めていたという。今ではその警備会社も辞め、奥さんと二人、旅行くらいしかすることたねえ、という老後を過ごしていた。浅野さんの言葉と違い、大前さんは喜び勇んでやってきたわけではなかった。待ち合わせた駅の前、『ナミヘイの店』に誘った私に、大前さんは首を振った。

「そんな長い話でもねえ」

早く話を終えて帰りたそうだった。何か用事があるということではなく、彼はただ、私の前にいることに居心地の悪さを感じているようだった。

私は自販機で缶コーヒーを二つ買い、大前さんを駅前の小さな広場に誘った。

「浅野さんから話がいっているとは思うんですが」とそこのベンチに座りながら私は言った。「二十三年前の事故について、お話をうかがいたいんです。二十三年前、間宮博史という人が死んだ事故です」

私が差し出した缶を受け取り、それを開けると、大前さんはじろりと私を睨《にら》んだ。

「くだらねえ男が、くだらねえ死に方をしたってだけの話だろう？　何でそんなことを今になってほじくり返すんだ？」

私も自分の缶を開けて聞き返した。

「そのくだらない事件、どうして覚えているんです？　もう二十三年も前の事件、いえ、事件としてすら扱われなかった、ただの事故ですよ」

「嬢ちゃん、何か知ってそうだな」と大前さんは笑った。「でも、もう時効だろ。仮に事件だったとしたところでな、もう時効だよ。昔の話さ」

「本当は、事件だったんですか？」

「事故だよ。調書だって残ってるだろう？　だから、事故だ。酔っ払って道端を歩いていた。蹴躓《けつまず》いて転んだ先が溝だった。頭を強く打って脳挫傷《のうざしょう》。倒れているところに、運悪く、ダンプが通りかかった。細い道だ。暗い夜だ。道端で寝転がっているそいつが見えなくて、ダンプが引っ掛けちゃったとしたって、誰も責められはしない。運ちゃんも、不起訴になったはずだ。そのとき、マルガイが生きていたか、すでに死んでたかもよくわからなかったからな」

「酔っ払って倒れた。本当にそうですか？」

「くだらねえ男なんだよ。ばくちで借金こさえて、かみさんを保証人にした挙句、てめえは知らん振りだ。そのくせ、かみさんには金をせびり続けた。かみさんが子供を連れて逃げても、そのあとを追っかけまわした。かみさんは何度も家を替えた。それでもしつこくまとわり続けた」

「だから？」

「だから、よお、嬢ちゃん。警察だって、人間の集まりなんだよ。どうしたって解決したい事件と、どうでもいい事件てぇのは、そりゃあるんだよ」

どうでもいい事件が、見ようによってはただの事故にも見えた。だから、それは事故になった。大前さんはそう言っていた。

「あんな男のかみさんは苦労したろうよ。そのかみさんを子供ごと面倒見ようって奇特な男が現れたんだから、まあ、世の中ってのはうまくできてるもんだな」

「元の奥さんは、容疑者だったんですか？」

「唯一の関係者だよ。だから、報告に行った。それだけだ」

「調べたんですか？」

大前さんはまた私を睨みつけた。

「何の証拠もねえし、そもそも動機がねえ。かみさんはもう新しい旦那と結婚して、平和な家庭を築いていた。何で七年も前に別れた亭主を殺さなきゃいけないんだ？」

知ったから。知ってはいけないことを知ったから。佐伯杏奈の存在を知ってしまったから。

二十三年前の夏。それは、佐伯杏奈の姉が真実を知ったときでもあり、そしてもう一つ。間宮博史が佐伯杏奈の存在を知ったときでもある。

佐伯杏奈の母親は、間宮博史から逃げるように転々と居を替えた。佐伯篤弘氏と知り合ったのは、その間だ。その後、佐伯杏奈の命がそのお腹《なか》に宿った。それを受けて、佐伯篤弘氏は間宮博史と話をつけた。二人は離婚した。佐伯杏奈が生まれ、一歳になるのを待って、二人は籍を入れた。時系列で考えれば、そういうことになる。

佐伯杏奈の姉は言っていた。父親から逃げるように母親は転居を繰り返した。なぜ、そこまで脅えたのか。金をせびられた。それだけだろうか？　そこにもっと生々しい行為があったとしたら？

もしそうならば、話はまったく違ったものになる。

佐伯杏奈の本当の父親は誰だ？

根拠のない想像だ。けれど、それなら説明がつくのだ。彼女の沈黙の説明が。

「下手《へた》なことすんなよ」

言葉に目をやると、大前さんはいつしか私から視線を外していた。

「嬢ちゃんが思うほど、人間てのは簡単なもんじゃねえ」

「簡単だなんて思ってませんよ」と私は言った。

「ならいい」

まだ残りのある缶をその場に置いて、大前さんは立ち上がった。

生きている人間はややこしい。そしてまた……。

老人の残した缶を取り、自分の分の缶を飲み干して、私は立ち上がった。

死んでいる人間もややこしい。

それが昨日の話だ。

「二十三年前の夏。お嬢さんを小学校に訪ねた間宮博史氏は、その後、あなたを訪ねてきた。違いますか？」

夏休みが始まる前の日。佐伯杏奈の姉は、実の父親が学校に訪ねてきたのはその日だったと言っていた。それからさほど時間をおかず、間宮博史は元の妻を訪ねた。部屋に響くチャイムの音。それに応えて何気なく玄関の扉を開けるまだ若い主婦。新しい夫との今を始めていた彼女がそこに見たのは、振り払ったはずの過去だった。扉の向こう、夏の日差しとセミの声を背にした一人の男。

彼女は首を振った。否定ではなく、答えを拒否しているようだった。

間宮博史は、実の娘を訪ねた。そのときには、ただ単純に娘の顔が見たかっただけだろう。けれど、妹の存在を知った。その年齢を聞き、逆算した。そして、自分がその子の父親である可能性に気づいた。そして、妻のもとを訪ねて囁《ささや》く。今の旦那に知られたくなかったら……。

「要求されたのは、お金ですか？」

首を振り続けた彼女は、やがてそうすることにも疲れたように動きを止めた。

「とても」

やがて彼女はぽつりと言った。

「とても大きなお金でした」

払えるはずのないお金を要求された。その後、彼女がどうしたのか。金を払うと元の亭主を安心させて酒を飲ませ、人通りもない暗い夜道で隙をついて頭を殴りつけたのか。あるいはその時期にたまたま酔っ払った元の亭主が事故にあったのか。それを追及するつもりはなかった。私は警察でも探偵でもない。葬儀屋だ。

「杏奈さんの実の父親は、間宮博史氏だった。そうなんですか？」

彼女はまた首を振った。それは否定のように見えた。

「え？」と私は聞き返した。

それが否定ならば、話が合わない。少なくとも、私が想像した話とは違うということになる。

「わかりません」

振っていた首を止めると、彼女はそう呟いた。

「わからない？」

私は繰り返した。

「わからないんです」

彼女が私を見た。

ああ、と私は思った。わからないのか、と。

その時期、彼女は二人の男と同時に関係を持っていた。一人は真剣に愛し、身を預けた男。もう一人は愛が離れ、にもかかわらず無理やり体を開かされた男。そして佐伯杏奈の命が宿った。どちらが父親でも話は合う。彼女自身にすら、父親がどちらであるのかわからなかった。

だからか、と私は呆然《ぼうぜん》とした。

だから、彼女は沈黙したのだ。佐伯杏奈は間宮博史の子だということにしよう。そう持ちかけたのは、おそらく佐伯篤弘氏のほうだろう。彼女から持ちかけられるような話ではない。そんなことはしてはいけない。そのとき、当然、言うべき言葉を彼女は飲み込んだ。わからないから。ひょっとしたら、佐伯篤弘氏が申し出た嘘は真実かもしれないから。だから、彼女は言えなかった。

姉が佐伯篤弘氏の嘘に気づいたとき、そのままでいたいと願ったとき、そのときも母は沈黙した。こんなことは終わりにしましょう。母として、当然、言うべき言葉を飲み込んだ。

佐伯篤弘氏が死を前にしたときですら、彼女は何も言えなかった。佐伯杏奈はひょっとしたら佐伯篤弘氏の実の娘ではないかもしれないから。

苦しかっただろう。

長年、溜《た》め込んでいた悲鳴は、佐伯篤弘氏の死をきっかけにして溢《あふ》れ始めた。

彼女がよろよろと席を立った。そしてあの絵を持って戻ってきた。私はその絵に視線を落とした。

「この絵を杏奈に送って欲しい。あの人がそう言ったと聞いたとき、わかったんです。あの人が、どれだけ杏奈のことを気にかけていたのか。自分の娘はやっぱり特別だったんです。私はあの人を裏切りました。苦しめ続けてしまった。自分の娘に真実を言えない。どれだけ苦しかったでしょう」

それなのに、と言った彼女の目から涙がこぼれた。

「私は何も言えなかった。あの子があの男の子供だとわかれば、あの人だってそんなに未練を残すこともなかった。あの子が本当にあの人の子供であるのなら、私だって、本当のことを伝えられた。いいえ。どちらだって構わない。せめて死ぬ前くらい、本当のことを伝えたかった」

ああ、それなのに、と彼女は言って、顔を覆った。

確かめることすらしなかった。親子鑑定。今の時代なら、ほぼ百パーセントに近い精度で、真実を知ることができる。それを彼女はしなかった。夫に言えないようなことを伝えるのが怖かった。佐伯杏奈が間宮博史との子であるのなら、それを知るのが怖かった。

それは私が考えていた話とは違っていた。佐伯杏奈の父親は、本当は間宮博史。それが私の考えていた話だった。けれど違った。

ああ、と私は思った。

そうか、全部か、と。つまりそれをひっくるめた全部なのだ。それをひっくるめた全部を飲み込んでなお、そこに生まれたのは、謝罪だった。いや、謝罪と感謝だった。許容なんかではなかった。

すごいな、と私は思う。

佐伯篤弘さん、あなたはすごい。

「ずっと気になっていたんです」と私は言った。

「え？」

彼女が顔を上げた。

「この絵です」

私に釣られて、彼女がその絵に視線を落とした。

「このときに描かれたとするなら、もう三十年近く前の絵ですよね。そんなに古く見えなかったんです。ずっとあとになって、思い出を描いたのだとしても、同居していた杏奈さんやあなたに見られることもなく絵を描けたでしょうか？　隠れて描いていた。絵の内容を考えればそうも思えます。でも、違う考え方もできます。これは病室で描いたものだと。死を前にした佐伯篤弘氏が、たった一人、最後のつもりで描いた絵じゃないかと」

「それなら、やっぱり」

彼女が言いかけた。違う。違うのだ。

私は首を振った。

「誤解したんですよ、お姉さんは」

「誤解？」

「佐伯篤弘氏は、この絵を家に送れと言ったんです。杏奈さんに送れと言ったんじゃない。お姉さんはそれは杏奈さんに宛てて送れという意味だと思った。事情を知っているお姉さんにすれば無理もないです。けれど、事情を知らない杏奈さんに送っても、ほとんど意味を成しません。この絵から、その事情にまで思い当たれというのは無理があります」

それは佐伯杏奈の姉だってわかっただろう。だから、息子を使って、あんなトリックを仕掛けた。それが佐伯篤弘氏からの愛情が込められたメッセージだというように。けれど、佐伯篤弘氏が期待したのは、そうじゃない。そんなことではないのだ。

「どういう、ことです？」

「だから、佐伯篤弘氏は、あなたに宛ててこの絵を送れと言ったんです。この家、つまり自分の死後、世帯主になるあなたに宛てて送って欲しいとお姉さんに頼んだんです」

私はその絵に視線を戻した。

絵の持つ意味は変わらない。佐伯篤弘氏の三人に向けた愛情が目一杯込められた絵だ。けれど、宛先によって、送ったその意思は形を変える。

「ああ」

佐伯杏奈の母が呆然とその絵を眺めた。

紫の花が咲き誇る草原で微笑《ほほえ》み合う母と娘。その母の胎内にいる小さな命。それをすべて引き受ける大らかな愛情。たとえ、その胎内にある命が、どう生まれたものであっても、そのすべてを引き受ける。佐伯篤弘氏はそう言っているのだ。

佐伯篤弘氏は、おそらく気づいていた。佐伯杏奈がひょっとしたら自分の実の娘ではないことに。だからこそ、そんな嘘を持ちかけた。愛情に裏打ちされた密《ひそ》かな覚悟のもと、すべてをその嘘の中に封じ込めた。

佐伯杏奈が本当に自分の娘なのかどうか。死を前にした佐伯篤弘氏がそこに構うことなどなかった。なぜなら、自信があったから。自分が十分に二人の娘を愛した自信があったから。ただ、妻が心のわだかまりを自分に明かさず、それを自分も追及しなかったことには、迷いがあった。たとえ一時、それを責めることがあっても、そんな気持ちが自分の中に生まれることがあっても、やはり真実を明らかにするべきだったのではないか。真実を明らかにした上で、そのすべての真実を分かち合い、あるべき家族の姿を作っていくべきだったのではないか。

たぶん、佐伯篤弘氏は悔いた。そこを曖昧にしたまま時間が過ぎてしまったのは、自分の罪である。佐伯篤弘氏はそう思っていた。真実を知ることから逃げ続けた、自分の罪であると。今、真実を明らかにして、新たにやり直す時間は、すでにもうない。だからせめて絵を描いた。その罪のため、苦しめ続けてしまった妻に向けて。

そんなことはどうでもよかったんだと。君と結婚して、娘たちと暮らせて、自分は本当に幸せだったと。その幸せに甘えて、君を苦しめ続けてしまって、すまなかったと。

そしてたぶん、ありがとう、と。

「ああ」

言葉もないまま、彼女はその絵をかき抱いた。くしゃくしゃになるのも構わず、絵を抱きしめて、彼女は涙を流し続けた。

私は黙って棚の中にあるボトルシップを眺めた。

どれくらい泣いただろう。彼女は絵をテーブルに戻し、ついてしまった皺《しわ》を丁寧に伸ばした。

「私はどうすれば？」

涙を拭いて、彼女は私に顔を上げた。

「どうもしなくていいんです」と私は言った。「故人は、あなたも、二人のお嬢さんも、心から愛していた。それだけわかれば、たぶん、それが故人の望まれたすべてです」

「ええ」と彼女は頷いた。

時計に目をやると、もうじき佐伯杏奈が戻ってくる時間だった。新たな職場を探して、佐伯杏奈は今日、面接に出かけているはずだった。

何かできることは？

そう聞いた私に彼女は首を振った。

「私から話します。すべてを。あの子たちに」

「そうですか」

向けられた笑みに微笑を返し、私は立ち上がった。

外に出て、空を見上げた。あの日、思い浮かべた絵がまた空の中に描かれた。と、その絵が動き出した。二人の娘の背後から小走りに歩み寄った母が、二人の娘の肩をしっかりと抱いた。そこで立ち止まった三人が、揃《そろ》って空を見上げ、それから互いを見て微笑みを交わした。

未熟者で申し訳ありません。

私は空に詫びた。

ご家族から依頼されたあなたの葬儀、本日をもって務めを終わらせていただきます。

人の思いは、ときに捩《ねじ》れ、ときに歪《ゆが》み、ときに行き場をなくして戸惑う。けれど、その人が死んでなお、その思いは何よりも鮮やかに空を彩る。そして私は、今日もその空の下にいた。


店に戻った私を待っていたのは、退職願だった。

「ああ、やっぱり、あれか？　給料の問題？」

私は聞いた。桑田は首を振った。

「魂の問題っす」

「バンドに戻るそうですよ」

すでに話がいっていたらしい。デスクについた私の前で直立不動の姿勢をとる桑田をフォローするように竹井が言った。

「ああ、バンドか」

アフロ、モヒカン、爆発頭、それとスキンヘッド。四人の顔を思い浮かべて、私は言った。確かに、それだけじゃ物足りない。茶髪のロンゲもいないと、どうにも収まりが悪い。私は桑田の頭を見た。髪が伸びるにはどれくらいかかるだろう?

「お前ら、五人で一人前だもんな。止めるわけにもいかないか」

聞いた私に、竹井が頷き返した。

「お世話になりました」

ぴょこんと桑田は頭を下げた。ここでの経験も生かして、コブシに一層磨きをかけて、などとくどくど言い始めた桑田を私は制した。まともに聞いていたら、何時間かかるかわかったものではない。

「いいよ、もう。さっさと帰れ」

「あ、そうっすか?」

「行けよ」

それでも桑田は竹井にもくどくどと礼を述べてから、ようやく店を出て行った。

「どうします?」

桑田の背中がすりガラスの向こうから消えるのを待って、竹井が言った。

また新しい誰かを雇うか。それとも、またしばらく竹井と二人で店を回すか。少し考え、私は首を振った。

「わかんない」

背もたれに身を預けた私に、椅子がぎいと鳴った。次の言葉はすらりと出てきた。

「少し疲れた」

沈黙に目をやると、竹井が少し驚いたように私を見ていた。私と目が合うと、竹井はうっすらと笑みを浮かべた。

「何だ？」と私は聞いた。

「初めて聞きました。社長の弱音」

「ああ、弱音って、別にそれほど疲れたってわけでも」

「疲れたんですよ」と竹井は言った。「少し疲れたんです。だから、少し休んだほうがいい。さて」

竹井は私を意味ありげに見た。

「どこで休みます？」

「どこでって」

「いいんですか？　文房具屋の息子」

「何だよ？」

「電話、きました？　この前、私が取り次いで、また電話するって、それきりじゃないですか？」

ずっと気になっていたことをさらっと指摘されて、私は言葉に詰まった。

「色々、忙しいんだろうよ」と私は言った。

「迷っているうちに手遅れになるってことだってありますよ」

「それなら、それまでさ」

「それまでで、それでいいんですか?」

竹井が言った。珍しく叱るような口調だった。何かを言い返そうとして、言葉が浮かばなかった。私は不機嫌に竹井から視線をそらした。

「この前の話」と竹井が口調を和らげた。「船が沈む前に、船員ができることがもう一つありました」

「何だよ?」

視線を戻さないまま、私は聞いた。

「小船を出すんです」と竹井は言った。「小船を出して自分で漕ぐんです。そこに船長が戻ってくるのなら、いつだってまた船長として迎えますよ」

店は任せてくれていい。そういうことか。たぶん、律儀なこの馬鹿は、森野葬儀店の看板を下ろすことなく店を続ける気だろう。私がいつでもそこに帰ってこられるように。

「もう一度、やりませんか?」

「何を?」

「葬儀です」と竹井が言った。「先代と奥様の」

戻した視線の先には、いつも通り生真面目《きまじめ》な竹井の顔があった。

「何だって？」

「もう一度、きちんとやり直しませんか？」

「きちんとって、あのときだって、きちんとやったさ」

竹井は首を振った。

「あのときは、喪主がいませんでした」

「いたよ」

「いいえ」と竹井は言った。「いませんでした」

竹井の言う通りだった。あの日、あのとき、私は喪主としてそこに立てなかった。十一年以上も前。みぞれ混じりの雨の降る二月の夕方。逃げ出そうとした私の前に立ち塞がったのは竹井だった。それでも私は、逃げた。葬儀屋という看板を盾に逃げた。そして喪主としてそこに心を預けることもなく、葬儀屋としてそこに心を込めることもなく、ただその時間だけをやり過ごした。あの時間を竹井は悔いている。あの日から今日まで、ずっと悔いている。

「私にご依頼いただけませんか？」

竹井が言った。私は笑った。

「高くつきそうだな」

「いいえ」と竹井はうっすらと笑みを浮かべた。「他の葬儀屋よりは、はるかに格安で」

そしてたぶん、そう、私もあの時間を悔いている。

私は竹井に頷き返した。

一切の手出しを許されなかった。翌週、竹井は、いつもそうしているように、前にいた従業員たちに声をかけ、二階の住居部分に小さな祭壇を組んだ。黙々と祭壇を組み立てる前の従業員たちを見ながら、その手際のよさに私は感心していた。

彼らにいい印象はなかった。両親の死後、しばらくすると、彼らは私を見限るように店を去っていった。他に人の手が借りられないときには、どうしようもなく彼らにアルバイトは頼んだが、それだって竹井を通じてだったし、その差配のほとんどは竹井に任せていた。できることなら、口だって利きたくなかった。

けれど、手慣れた様子で祭壇を組み立てていく彼らに、私は自分が勘違いをしていたのではないかと考え直していた。

葬儀業界も流れが変わっている。この先、うちのような小さな葬儀店が繁盛することはないだろう。だから、身を引いた。もっとも有能な社員一人に後を託し、彼らは身を引いた。世話になった先代の娘に負担をかけないように。そして頼まれれば、安いアルバイト代に文句一つつけることもなく、必ず駆けつけた。

そういうことだったのか。

桑田とバンド仲間もやってきた。ほとんど手伝いにはならなかったが、竹井やかつての従業員たちの指示に従って、彼らは彼らなりに一生懸命に葬儀の準備を手伝ってくれた。

英徳寺の和尚《おしょう》がきて、長々と経を唱えてくれた。そのおおらかな時間の中に私は身を預けた。祭壇に飾られた両親の遺影をじっと眺めた。

私はいい娘でしたか？

今の私はいい娘ですか？

問いかけにやはり答えはなかった。言葉もなく、二人はただ私を微笑み見つめるだけだった。

私は二人と過ごした時間を思い起こした。

幼い日の夏休み。みんなが旅行へ行くというのに、うちは何にもなしなのと駄々をこねた私。

うちは葬儀屋だ。いつ仏様が出るかわかんねえし、仏様を待たせるわけにはいかねえ。

そう言い返した父。

仏様なんて、みんな死んじゃえ。

何をわけのわかんねえこと抜かしてやがる。

父と喧嘩《けんか》になった私を笑顔であやしていた母。

中学の卒業式、仕事を従業員に預けて、駆けつけてくれた父。その父の黒いネクタイを苦笑しながら外して、別の柄物に取り替えている母。卒業証書を受け取り、壇上からその二人を呆《あき》れて見ている私。

試合で負けたと落ち込む私に、また次に勝てばいいじゃないと慰めた母。

勝ったの負けたのって、つまんねえことで人生、くくるんじゃねえぞ、と何だかよくわからない説教を垂れた父。

高校卒業したら、お前、どうすんだい、と、たぶん、ずっと聞きたかったことを酔いの勢いでようやく聞けた父。

店継ぐなんてことだけはないから心配しないで。

憎たらしげに答えた私。

そんな家族の夕食に笑顔を持ち込もうと、つまらない冗談を繰り返す母。

ねえ、お願い。

零《こぼ》れそうになる涙を堪《こら》えた。

答えて。お願い。私はいい娘でしたか?

そっと肩に手が置かれた。見遣《みや》ると、竹井が私に一つ頷いた。

私はそのドアを開けた。

涙が零れ落ちた。

答えてよ。駄目な娘だったっていうなら、それでもいいから。叱ってくれていいから。だから、答えてよ。

二人の遺影を見ながら、私は涙を流し続けた。和尚の読経の中で、私は堪えることなく涙を流し続けた。

鈴《りん》を鳴らし、和尚が読経をやめた。和尚らしい文句は何もなかった。私に一つ頷くと、それでは後ほど、と竹井に声をかけ、一階へと降りていった。和尚が店を出て行く戸の音が聞こえてから、竹井が言った。

「それでは、ただ今より仏様をお送りいたします。皆様、合掌でお送りください」

他の従業員たちと桑田のバンド仲間たちが手を合わせた。棺《ひつぎ》はなかった。桑田が二人の遺影を渡してくれた。私は二人の遺影を胸に、竹井のあとに続いて階下へと降りた。

店を出たところに、ワゴンが停《と》まっていた。竹井が声をかけていたのだろうか。商店街の人たちも集まっていた。隣の眼鏡《めがね》屋もいた。ナミヘイもいた。酒屋もいた。魚屋の親父と布団屋の隠居もいた。不動産屋もいた。洋装店のオババもいた。竹井が運転席に乗り込み、私はみんなに一礼してから助手席に座った。

プオーン、と竹井がホーンを鳴らした。店の前に並んだみんなが、合掌で私たちを見送った。

火葬場は施設点検のために今日、一日、休業していた。顔馴染《かおなじみ》の職員が鍵を開けて、私と竹井を迎えてくれた。

「お待たせしました」と竹井が言った。

「あんまり長く燃やせないけど。バーナーの点検だけだから」

「構いません」と竹井が頷いた。

私たちは炉の前に立った。やがて、ゴウと唸《うな》るような音が聞こえてきた。私は身をすくめた。竹井が私の横に立ち、しっかりと私の肩を抱いてくれた。

いつでもそうだった。竹井はいつだって、私の横に立ち、立ちすくんでいる私を支えてくれた。せかすことも励ますこともなく、ただそこにいる私を支えてくれた。

やがて音がやんだ。

「お骨を拾ってください」

竹井が静かに言った。

私は目を閉じた。思い出せるだけのすべてを思い起こした。すべての言葉。すべての表情。すべての動き。すべての情景。分け隔てられない曖昧な記憶が頭の中で渦になった。巡り巡る渦が動きを止めることはなかった。

ああ、と私は思った。

残せばいいのだ、と私は気づいた。燃え尽きることのない思いはこの世に留《とど》めて、この世に残ったものがしっかりと拾えばいい。

私は目を開けた。こちらを見る竹井に頷き返した。

「参りましょう」

私は竹井とともに再び車に乗り込んだ。車は英徳寺へと向かった。境内の隅にある古い桜の木を回り込むように進むと、いくつもの墓石が規則正しく並ぶ墓所に下る短い石段へとつながる。薄曇の空の下、それは見慣れたはずの光景だった。それなのに私の足は、階段の上で止まった。

すうと息を吸い込んでから、私はその石段に足をかけた。

両親の墓前では、和尚が私たちを待っていた。

「このまま納骨でよろしいのですか？」

和尚が聞いた。私は頷いた。通常の手順とは違うが、構わなかった。

「それでは」

和尚に言われ、私は両親の墓を見た。頭の中で、その墓石をどけ、骨を収め、そして墓石を戻した。ふっと肩が軽くなった気がした。私は和尚に頷いた。和尚が静かに経を唱え始めた。墓の向こう、墓所の縁に白い小さな蘭《らん》のような花が咲いていた。あの日、墓の向こうには赤い椿《つばき》が咲いていた。そう思えば、この墓所にはいつも何かしらの花が咲いている。参る人のためか、葬られたもののためか。和尚は季節によっていつも花があるよう気遣っているのだろう。もう十年以上、この墓に参りながら、私はそんなことにすら気づかなかった。

軽やかな風が白い花と私の髪を撫《な》でていった。和尚の読経を乗せたその風は、父や母のもとに届いているだろうか。

「しっかりとお参りなさい」

読経を終えた和尚が私に言った。竹井が線香を出した。私はそれに火をつけ、墓前に供《そな》えた。手を合わせ、目を閉じる。二人がそっとその場を去る気配がした。

もう大丈夫だから。

思い浮かべた両親の顔に私は告げた。

引いてくれる手を失ったあの日、私は身を包み込む暗闇に脅え、ただ目を閉じ、立ちすくんだ。けれど、目を開けて闇を透かせば、星灯《ほしあか》りの中、差し伸べられているいくつもの手があったはずだ。私はそんなことにすら気づかなかった。いや、気づいていたのに、気づかぬ振りを続けた。その手を握り返してしまえば、再びそこから歩き出さなくてはならないから。

でも、もう大丈夫。私、行きます。

私は目を開けた。

私はいい娘でしたか?

今の私はいい娘ですか？

答えなど、もういらなかった。そっと墓石に手を置いた。ひんやりとした感触が伝わってきた。

いい娘よ。いつだって、いい娘よ。

その感触の中にそんな声を聞いた気がして、私はびくりとした。

いいも悪いもねえやな。お前は俺の娘だ。

私は墓石に額をつけた。

ありがとう。

落ちた涙が、墓石に滲《にじ》んでいった。私は涙を拭き、墓石に背を向けた。

ここに連れてきたい人がいます。あなたたちも知っている、ええ、あいつです。私と一緒にいることで、あいつが幸せになるのかどうか、正直わかりません。でも、私はあいつと一緒にいたい。あいつと一緒に、この先の時間を歩いていたい。だから、あいつのもとへ行きます。身一つで。いいえ。あなたたちが一番初めに私にくれたプレゼントと一緒に。そして必ずあいつと一緒に、またきます。たぶん、少し照れ臭い報告をするために。

墓所を出るために私は歩き出した。雲の間から漏れた日の光が、背後からゆっくりと私を追い抜いていった。立ち並ぶ墓石に挟まれた一筋の道をその光に導かれるように私は進んだ。

短い石段に足をかけたとき、私より先に石段を登り切った日の光がその上を照らした。そこに信じがたいものを目にして、私は足を止めた。

「やあ」

自分を照らした日の光に眩《まぶ》しそうに目をすぼめた神田が照れたように言って、私に手を上げた。

「やあって、お前。え？」

神田は石段を降りてきて、私の前に立った。

「お前、何で」

「迎えにきた」と神田は言った。「未来を迎えにきた」

恐ろしく照れ臭い台詞《せりふ》に、私は照れた。ものすごく照れ臭い台詞に、神田も照れていた。

「何、言ってんだよ」と私はその胸を拳で叩《たた》いた。

首に手を当てて照れ臭そうに笑ってから、神田は生真面目な顔になった。

「見合いなんてするな」

「は？」と私は言った。「はあ？」

「竹井さんから聞いた。この前、電話したとき。何をぼやぼやしてるんだって、えらい剣幕で叱られた。あの人、怒ることもあるんだね。それで慌てて帰ってきた。もう必要ない。眼鏡屋には僕から断るから」

お父さん、お母さん、と私は天を仰いだ。あなたたちの育てた従業員は、とんでもなくお節介な馬鹿野郎です。

見上げた空に、いつしか雲の姿は遠くなっていた。

「しないよ」と視線を戻して、私は言った。「もうも何も、最初から必要ない。する気なんてなかった」

「へ？」と神田は言った。「だって、竹井さんが、え？」

くすっと笑い、それと一緒に涙まで出てきて私は慌てた。ただその涙を隠すために、私は顔を伏せた。私のおでこに、さっき拳で叩いた神田の胸が添えられた。私の肩に両手がかかった。ぎゅっと抱き寄せられ、私の体を神田の体温が包んだ。

こんな男です。竹井の見え透いた嘘に慌てて帰国するような、こんな単純な男です。ねえ、こいつでいいでしょうか？

私の涙が神田のシャツに吸い取られていった。そう。いつだってそうだった。こいつは私の涙を吸い取る距離に、いつだってそこにいてくれた。

本当は知っていた。帰国したこいつが、大手の出版社を辞めてまで再び渡米したそのわけを。こいつは一人になろうとしたのだ。家族と離れ、組織からも身を外し、こいつはぎりぎりまで一人になろうとした。たった一人になったその隣にこそ、私の居場所があると知っていたから。そうやって初めて、私が飛び込める場所が作れるとわかっていたから。

それでも私は飛び込めなかった。そうまでしてくれる神田が怖かった。そこで神田とともに何かを築き上げていく自信がなかった。

けれど……けれど、そう、それはいつだって意思と一緒にあるものなのだ。

ねえ、お父さん、お母さん。駄目だと言われても、仕方ないんです。私はこいつが好きです。大好きです。だから、あなたたちのくれたプレゼントだけを手に、こいつと一緒に行きます。あなたたちが結び、築いたものを、それと同じものを、こいつと一緒に目指してみます。

「あの、言ってなかったかもしれないけど」

私の頭の上で神田が言った。その手がまた首筋に添えられていた。困ったときにはそうするわかりやすい癖が、昔のままだった。

「ああ、いや、言ったっけなあ」

「何だよ」と私はその胸に顔を埋めたまま聞いた。

「あのさ、だから」

「うん？」

首筋にあった手が私の肩をまたぎゅっと抱き寄せた。

「愛してる」

「初めて聞いた」

結構、面倒臭い馬鹿です。でも、まあ、それはきっとお互い様でしょう。あなたたちの娘も、きっと面倒臭い馬鹿ですから。だから、私はこいつと行きます。

ねえ、これは言ってなかったですね。いつも憎まれ口しか叩けなかった娘です。だから、今、言います。

未来。

よい名前です。ありがとう。

日本音楽著作権協会（出）許諾第一二〇二八三〇－二〇二号

本作品は二〇〇九年十月十日、集英社より書き下ろしとして刊行されました。

MOMENT

本多孝好

最後にひとつだけ、願いが叶うなら——病院でアルバイトをする大学生の「僕」は、ある末期患者の願いを叶えたことから、患者たちの最後の願いが寄せられるようになって……。静かに胸を打つ物語。

集英社文庫

本多孝好

正義のミカタ　I'm a loser

僕、蓮見亮太18歳。高校時代まで筋金入りのいじめられっ子。一念発起して大学を受験し、やっと通称スカ大に合格。「正義の味方研究部」に入部し、次々と事件に関わっていく。傑作青春小説。

集英社文庫

集英社文庫

WILL《ウィル》

2012年3月25日 第1刷
2012年6月6日 第2刷

定価はカバーに表示してあります。

著 者 本多《ほんだ》孝好《たかよし》

発行者 加藤 潤

発行所 株式会社 集英社
東京都千代田区一ツ橋2-5-10 〒101-8050
電話 03-3230-6095（編集）
03-3230-6393（販売）
03-3230-6080（読者係）

印 刷 凸版印刷株式会社

製 本 凸版印刷株式会社

フォーマットデザイン アリヤマデザインストア　マークデザイン 居山浩二

ISBN978-4-08-746804-5 C0193